VIAJANTE SOLITÁRIO

Livros do autor publicados pela L&PM Editores

Diários de Kerouac (1947-1954)
O livro dos sonhos (Coleção **L&PM** Pocket)
On the road (Coleção **L&PM** Pocket)
Os vagabundos iluminados (Coleção **L&PM** Pocket)
Viajante solitário (Coleção **L&PM** Pocket)

Jack Kerouac

VIAJANTE SOLITÁRIO

Tradução de Eduardo Bueno

www.lpm.com.br

L&PM POCKET

Coleção **L&PM** Pocket, vol. 462

Título original: *Lonesome Traveler*

Tradução: Eduardo Bueno
Revisão de tradução: Lúcia Brito
Capa: Marco Cena
Revisão: Jó Saldanha, Bianca Pasqualini e Renato Deitos

ISBN: 85.254.1448-4

K39v Kerouac, Jack, 1922-1969.
Viajante solitário / Jack Kerouac; tradução de Eduardo Bueno. -- Porto Alegre: L&PM, 2006.
224 p. ; 18 cm. -- (Coleção L&PM Pocket)

1.Literatura norte-americana-Relatos de viagens. I.Título. II.Série.

CDD 813
CDU 821.111(73)-3

Catalogação elaborada por Izabel A. Merlo, CRB 10/329.

Porto Alegre: Rua Comendador Coruja 314, loja 9 - 90220-180
Floresta - RS / Fone: 51.3225.5777
Pedidos & Depto. comercial: vendas@lpm.com.br
Fale conosco: info@lpm.com.br
www.lpm.com.br

Impresso no Brasil
Verão de 2006

Sumário

Apresentação do autor

NOME Jack Kerouac

NACIONALIDADE Franco-americana

LOCAL DE NASCIMENTO Lowell, Massachusetts

DATA DE NASCIMENTO 12 de março de 1922

INSTRUÇÃO *(escolas freqüentadas, cursos especiais, diplomas e anos)*
Escola de Lowell (Mass.); Escola Masculina Horace Mann; Universidade de Columbia (1940-42); New School for Social Research (1948-49). Ciências Humanas, nenhum diploma (1936-1949). Ganhei um A de Mark Van Doren em Inglês na Columbia (curso sobre Shakespeare). – Levei pau em Química na Columbia. – Tirei média 92 na Horace Mann (1939-40). Joguei futebol americano no time principal da universidade. Também pratiquei atletismo, beisebol e xadrez.

CASADO Não

FILHOS Não

RESUMO DAS PRINCIPAIS OCUPAÇÕES E/OU EMPREGOS

Tudo. Especificando: ajudante de cozinha e lavador de pratos em navios, empregado de posto de gasolina, limpador de convés, jornalista esportivo *(Lowell Sun)*, guarda-freios ferroviário, condensador de roteiros da 20th Century-Fox em Nova York, balconista de lanchonete, funcionário nos pátios de manobras de estradas de ferro, também carregador de mala na estação ferroviária, apanhador de algodão, ajudante de empresa de mudanças, aprendiz de laminação de metal no Pentágono, em 1942, vigia de incêndios florestais em 1956, operário da construção civil (1941).

INTERESSES

HOBBIES Inventei meu próprio jogo de beisebol, com programação extremamente complicada, e estou prestes a começar uma temporada completa de 154 jogos entre oito clubes, com todos os elementos, médias dos batedores, médias dos lançadores e tudo o mais.

ESPORTES Pratiquei todos, menos tênis, *lacrosse* e *skull*.

ESPECIAL Garotas

FAÇA UM BREVE RESUMO DE SUA VIDA, POR FAVOR
Tive uma bela infância, meu pai era tipógrafo em Lowell, Massachusetts, perambulava pelos campos e pelas margens dos rios dia e noite, escrevi pequenos romances no meu quarto, o primeiro aos onze anos de idade, mantive também longos diários e "jornais" que faziam a cobertura dos meus mundos desportivos, corridas de cavalo, jogos de beisebol e futebol inventados por mim mesmo (conforme está registrado no romance *Doctor Sax*). – Tive uma boa educação primária com jesuítas na escola paroquial Saint Joseph, em Lowell, graças à qual, mais tarde, pude pular o sexto ano em uma escola pública; quando criança, viajei com a família para Montreal e Québec; Billy White, o prefeito de Lawrence (Mass.), me deu um cavalo quando eu tinha onze anos, deixei toda a garotada da vizinhança dar umas voltas; o cavalo fugiu. Fiz longas caminhadas noturnas sob as velhas árvores da Nova Inglaterra com

minha mãe e minha tia. Ouvi atentamente os mexericos delas. Aos dezessete anos, decidi me tornar escritor, influenciado por Sebastian Sampas, jovem poeta local que mais tarde viria a morrer na invasão da praia de Anzio; li a vida de Jack London aos dezoito anos e também decidi me tornar um aventureiro, um viajante solitário; Saroyan e Hemingway foram minhas primeiras influências literárias; mais tarde, Wolfe (depois de ter quebrado a perna em uma partida de futebol americano de calouros na Columbia, li Tom Wolfe e perambulei por sua Nova York de muletas). – Influenciado também por meu irmão mais velho, Gerard Kerouac, que morreu aos nove anos, em 1926, quando eu tinha quatro anos, grande pintor e desenhista na infância (ele era) – (segundo as freiras, também era um santo) – (tudo registrado no romance *Visions of Gerard*, que em breve será lançado). Meu pai era um homem absolutamente honesto e cheio de alegria; tornou-se ranzinza nos seus últimos anos por causa de Roosevelt e da Segunda Guerra Mundial, morreu de câncer no baço. – Minha mãe ainda vive, moro com ela em uma espécie de vida monástica que me permite escrever tanto quanto tenho escrito. – Mas também escrevo quando estou na estrada, como vagabundo, ferroviário, exilado no México, em viagem pela Europa (conforme está narrado em *Viajante solitário*). – Tenho uma irmã, Caroline, atualmente casada com Paul E. Blake Jr., de Henderson, Carolina do Norte, técnico antimísseis do governo – ela tem um filho, Paul Jr., meu sobrinho, que me chama de tio Jack e me ama. – Minha mãe se chama Gabrielle, com ela aprendi tudo sobre a arte de contar histórias com naturalidade, ouvindo suas longas narrativas sobre Montreal e New Hampshire. – Minha família remonta à Bretanha, França, o primeiro antepassado norte-americano é o barão Alexandre Louis Lebris de Kerouac, de Cornwall, Bretanha, que em 1750 mais ou menos recebeu terras ao longo da Rivière du Loup, depois da vitória de Wolfe sobre Montcalm; seus descendentes casaram-se com índias (mohawk e caughnawaga) e tornaram-se plantadores de batatas; o primeiro descendente americano foi meu avô Jean-Baptiste Kérouac, carpinteiro, de Nashua, N.H. – A mãe do meu pai era uma Bernier, parente do explorador Bernier – todos são bretões, por parte de meu pai. – Minha mãe tem sobrenome normando, L'Evesque.

Meu primeiro romance formal foi *The Town and the City*, escrito na tradição de trabalho longo e revisão, de 1946 a 1948, três anos, publicado pela Harcourt Brace em 1950. – Então descobri a prosa "espontânea" e escrevi, digamos, *The Subterraneans* em três noites – escrevi *On the Road* em três semanas –

Li e estudei sozinho a vida inteira. – Estabeleci o recorde de falta às aulas da faculdade de Columbia para ficar no meu quarto escrevendo uma peça diária e lendo, digamos, Louis Ferdinand Céline, em vez dos "clássicos" do curso.

Sempre tive minhas próprias idéias. – Sou conhecido como "vagabundo maluco e anjo" com uma "cabeça desnuda e inesgotável" de "prosa". Também poeta, *Mexico City Blues* (Grove, 1959). – Sempre considerei escrever meu dever na Terra. E também pregar a bondade universal, que críticos histéricos não foram capazes de descobrir sob a frenética atividade das minhas histórias verídicas sobre a geração *beat*. – Na verdade, não sou um *beat*, mas sim um estranho e solitário católico, louco e místico...

Planos finais: solidão eremítica nas florestas, escrever tranqüilamente na velhice, vaga esperança do Paraíso (como, de resto, todo mundo)...

Queixa favorita sobre o mundo contemporâneo: o desprezo jocoso das pessoas "respeitáveis"... que, por não levarem nada a sério, estão destruindo velhos sentimentos humanos, mais antigos do que a *Time Magazine*... Dave Garroways rindo-se de pombas brancas...

FAÇA, POR FAVOR, UMA PEQUENA DESCRIÇÃO DO LIVRO, SEU CONTEÚDO E PROPÓSITO, NA SUA OPINIÃO
Viajante solitário é uma coleção de textos publicados e inéditos conectados por um tema comum: viagens.
As viagens percorrem os Estados Unidos do sul para a costa leste, costa oeste, o noroeste distante, México, Marrocos, Paris, Londres, os oceanos Atlântico e o Pacífico a bordo de navios, e as várias pessoas e cidades interessantes encontradas nesses lugares.
Trabalhos em ferrovias, no mar, misticismo, trabalho na montanha, lascívia, solipsismo, auto-indulgência, touradas, drogas, igrejas, museus de arte, ruas urbanas, um apanhado geral da vida vivida por um vagabundo sem grana e educado de forma independente, indo a lugar algum.
Seu objetivo e propósito é simplesmente poesia, ou descrição natural.

1. Cais da noite desamparada

AQUI EMBAIXO NA TERRA ESCURA
antes de irmos todos para o Céu
VISÕES DA AMÉRICA
Todas essas caronas
Todo esse sacolejo ferroviário
Todos esses regressos
à América
Via fronteiras mexicanas & canadenses...

Comecemos pela visão de mim com a gola levantada junto ao pescoço e amarrada por um lenço para mantê-la firme e aconchegante, enquanto me arrasto pelos quarteirões desolados e sombrios dos armazéns da sempre encantadora zona portuária de San Pedro, as refinarias de petróleo fedendo na noite úmida e nebulosa do Natal de 1951, como borracha queimada e os mistérios desvendados da Bruxa do Mar do Pacífico, exatamente ali onde, à minha esquerda, enquanto sigo me arrastando, pode-se ver o brilho oleoso das águas da antiga baía avançando para envolver os pilares espumantes, e, ao largo, sobre águas plácidas, as luzes dançam na maré movediça e também a claridade dos navios e dos rebocadores, eles próprios em movimento, aproximando-se ou abandonando essa última língua de terra americana. – Lá naquele negro oceano, naquele mar escuro e selvagem, onde o verme viaja invisivelmente para chegar, tal qual uma bruxa voadora atirando-se como que casualmente sobre o sofá entristecido, mas com o cabelo desalinhado e ainda na rota certa para descobrir a alegria escarlate dos amantes e devorá-la, tendo a Morte por nome, o navio da danação e da morte, o *S.S. Roamer,* pintado de negro com botalós alaranjados, aproximava-se agora como um fantasma e sem um ruído, exceto o som de sua intensamente trepidante casa de máquinas, para ranger & rugir no cais de Pedro, recém-chegado de uma viagem que partiu de Nova York, através do canal do Panamá, e a bordo está meu velho camarada Deni Bleu, vamos chamá-lo assim, ele que me fez viajar cinco mil quilômetros de ônibus com a promessa de que conseguiria me embarcar e eu navegaria o resto da viagem ao redor do mundo. – E, já que ando numa boa e na vadiagem mais uma vez & nada tenho a fazer senão perambular, desapontado, pela América real, com meu coração irreal, cá estou, ávido e pronto para me tornar um ajudante de cozinha ou lavador de pratos com o narigão arrebentado nesta velha banheira flutuante, contanto que possa comprar minha próxima camisa bacana em um bazar de Hong Kong ou brandir um taco de pólo em algum velho bar de Cingapura, ou apostar nos cavalos na Austrália, para mim dá tudo na mesma, contanto que seja excitante e dê a volta ao mundo.

Eu tinha estado na estrada durante semanas, a oeste de Nova York, e, enquanto aguardava na casa de um amigo lá em Frisco, aproveitei para juntar umas cinqüenta pratas extras trabalhando como carregador de malas na velha ferrovia durante a correria do Natal, e agora acabo de percorrer os oitocentos quilômetros de San Francisco até aqui como um honrado hóspede secreto no vagão dos funcionários do trem de carga de primeira classe Zipper graças às minhas relações na rede ferroviária de lá, e agora creio que vou me tornar um grande marinheiro, vou embarcar no *Roamer* aqui mesmo em Pedro, penso enternecidamente, e no fim das contas, se não fosse por esse embarque, com certeza talvez gostasse de virar ferroviário, aprender a ser guarda-freios e ainda faturar uma grana para viajar no velho e veloz Zipper. – Mas eu tinha ficado doente, um súbito resfriado terrível e asfixiante do vírus tipo X, estilo Califórnia, e mal pude espiar para fora da janela empoeirada do vagão enquanto ele zunia próximo à linha nevada da rebentação em Surf e Tangair e Gaviota, na região que aqueles trilhos enluarados percorrem entre San Luis Obispo e Santa Bárbara. – Fiz o possível para curtir uma viagem legal, mas só consegui me estirar duro como uma tábua no banco do vagão com a cara enterrada no casaco enrolado, e todos os condutores de San Jose e Los Angeles vieram me acordar para pedir minhas credenciais, eu era irmão de um guarda-freios e eu próprio guarda-freios no Texas, e assim, cada vez que olhava para cima, pensava: "Velho Jack, você realmente está viajando no vagão dos funcionários e avançando ao longo da rebentação em uma estrada de ferro tão fantasmagórica que nem em seus mais desvairados sonhozinhos, como os sonhos infantis, você jamais sonhou percorrer, então por que não consegue levantar a cabeça e olhar para fora e apreciar a plumosa costa da Califórnia, a última terra a ser emplumada pela fascinante espuma pulverizada das águas que transpassaram todos os umbrais e soleiras, avançando sinuosamente até aqui, vindas de todo o Oriente e baías encobertas e que daqui partirão até Catteras Flapperas Voldivious e Gratteras, meu garoto?", mas levantava a cabeça e nada havia para ser visto, exceto minha alma ensangüentada, e vagas insinuações de uma lua irreal reluzindo sobre um mar irreal, e o perpassar veloz do cascalho do leito da estrada, a linha férrea sob a luz das estrelas. – Chegando em L.A. pela manhã, cambaleio com enorme e pesado saco de marinheiro no ombro desde os entroncamentos ferroviários até o centro de L.A., na Main Street, onde me atiro em um quarto de hotel e passo 24 horas bebendo bourbon com suco de limão e tendo, deitado de costas, uma visão da América que não tinha fim – era só começo – e também pensando, "Vou embarcar no *Roamer* lá em Pedro e cair fora para o Japão em um piscar de olhos". – Olhando pela janela quando me sentia um pouco melhor e curtindo as ruas ensolaradas do Natal de L.A., finalmente me arrastando aos bilhares da periferia e dando umas voltas entre os engraxates, matando o tempo esperando a hora em que o *Roamer* atracasse no cais de Pedro, onde eu haveria de me encontrar com Deni, exatamente ali, junto da prancha de desembarque, com a arma que ele mandara antes.

Havia mais do que uma razão para esse encontro em Pedro – ele havia enviado uma arma dentro de um livro, cujas folhas recortara e escavara cuidadosamente, transformando-o em uma embalagem bem firme, embrulhada em papel pardo e atada com barbante, remetida para uma garota em Hollywood, Helen alguma coisa, cujo endereço me deu. "Escute aqui, Kerouac, quando você chegar a Hollywood, vá imediatamente até Helen e peça para ela o pacote que enviei, então abra-o cuidadosamente em seu quarto de hotel, e lá estará a pistola, carregada; portanto, tome cuidado para não perder um dedo; aí você a guardará em seu bolso, está prestando atenção, Kerouac? Será que isso entrou na sua cabeça frenética? – Mas você ainda tem que fazer um favorzinho para mim, seu querido Denny Blue, lembre-se de que fomos colegas na escola, que bolamos maneiras de sobreviver juntos, que mendigamos trocados, que juntos até policiais fomos, que chegamos a casar com a mesma mulher" (coff, coff), "quer dizer – nós dois desejamos a mesma mulher, Kerouac, agora é tudo com você, você tem que me ajudar a me defender do maldito Matthew Peters, traz essa arma com você", me cutucando, e pronunciando enfaticamente cada palavra e me cutucando a cada palavra, "e traz a arma com você e vê se não vai preso e não perde o barco, aconteça o que acontecer". – Um plano tão absurdo, tão típico desse maníaco, claro que apareci lá sem a arma, sem sequer procurar pela tal Helen, apenas com minha jaqueta surrada, apressadíssimo, quase atrasado, tanto que pude ver os mastros se aproximando do cais, de noite, luzes de sinalização por todos os lados, lá naquela imensa e desolada praça de refinarias e tanques de petróleo, com meus pobres sapatos maltratados que haviam começado uma viagem de verdade agora – que se iniciara em Nova York em busca dessa nau insensata, mas nas primeiras 24 horas começou a ficar claro para mim que eu jamais embarcaria em navio algum – ainda não sabia então, mas eu estava condenado a permanecer na América, sempre, linhas férreas ou hélices marítimas, seria sempre na América (navios rumando para o leste, subindo, barulhentos, o Mississippi, como se verá a seguir). – Sem arma nenhuma, todo encolhido por causa da terrível umidade do inverno de Pedro e Long Beach, à noite, passando pela fábrica Puss n'Boots em uma esquina com um minúsculo relvado à frente e mastros para bandeiras americanas e um enorme *out-door* com um atum; dentro do mesmo prédio, fazem peixe para humanos e para gatos – passando pelo cais Matson, o *Lurline* não estava lá. – Olhos atentos à procura de Matthew Peters, o vilão que estava por trás da necessidade de uma arma.

Tudo isso remonta, maniacamente, a acontecimentos bem anteriores no enorme e demoníaco filme dessa terra, do qual apresentarei apenas uma pequena parte, por longa que seja, a respeito de como o mundo pode ser louco, até que finalmente a gente possa compreender que, "oh, bem, na verdade tudo é tão repetitivo". – Mas Deni havia arruinado propositadamente o carro desse tal Matthew Peters. Parece que eles tinham morado juntos com um bando de garotas em Hollywood. Eram marinheiros. Tinha fotos deles sentados ao redor de piscinas ensolaradas, de calção, cercados de loiras, abraçados em grandes poses. Deni alto, meio gorducho, moreno, sorrindo um sorriso hipócrita de dentes alvos, Matthew Peters um tremendo boa-pinta loiro com uma expressão sinistra e autoconfiante ou uma (mórbida) expressão de pecado e silêncio, o herói – do grupo, da época –, de modo que sempre se ouve falar à boca pequena histórias confidenciais contadas por todos os bêbados e não-bêbados em todos os bares e não-bares daqui até o outro lado de todos os mundos Tathagata nos dez quadrantes do universo, é como o fantasma de todos os mosquitos que já viveram; a densidade da história do mundo, toda ela, seria suficiente para inundar o Pacífico tantas vezes quantas se pudesse tirar um grão de areia de seu leito arenoso. A grande história, a grande reclamação que ouvi declamada por Deni, velho e lamuriento reclamão e um dos mais vituperiosos dos reclamões, era: "Enquanto eu escarafunchava nas latas e depósitos de lixo de Hollywood, olha só, enquanto eu perambulava pela porta dos fundos daqueles prédios elegantes e, tarde da noite, rondava sorrateiramente à cata de garrafas vazias para receber cinco centavos, enchendo minha velha sacolinha para fazer um dinheirinho extra, quando não conseguíamos trabalho nas docas e não arranjávamos um navio de jeito nenhum, Matthew, com aquele ar afetado, dava festas enormes e consumia cada tostão que conseguia extrair de minhas imundas mãos, e nem uma única vez, NEMMMM uma Única vez ouvi sequer uma PALAVRA de agradecimento – você pode imaginar como me senti quando, para completar, ele roubou minha melhor garota e caiu na noite com ela – me esgueirei até a garagem onde ele estacionava seu carro, empurrei-o silenciosamente para fora sem ligar o motor, deixei ele descer a rua e então, cara, tomei o rumo de Frisco, bebendo cerveja em lata – que história eu poderia te contar –", e lá vai ele com sua história, contada daquele jeito inigualável, como destroçou o carro em Cucamonga, Califórnia, uma porrada de frente em uma árvore qualquer, como quase morreu, como eram os policiais, os advogados, os papéis e os problemas, como finalmente chegou a Frisco e embarcou em outro navio, e como Matthew Peters, que sabia que ele estava a bordo do *Roamer*, estaria esperando no cais, justamente naquela noite fria e enevoada em Pedro, com uma arma, uma faca, capangas, amigos, tudo e mais um pouco. – Deni desembarcaria olhando para todos os lados, pronto para atirar-se ao chão, e eu deveria estar aguardando ali, ao pé da plataforma de desembarque e alcançar a pistola rapidamente para ele – tudo naquela noite nebulosa, nebulosa.

"Tudo bem, cara, conta outra história."

"Pega leve."

"Bem, foi você mesmo que começou tudo isso."

"De leve, de leve", repete Deni de sua maneira particular, dizendo "DI LÉ" muito alto, fazendo boquinhas como um locutor de rádio para pronunciar cada som e então o "VE" na surdina, à inglesa, era um truque que havíamos aprendido em uma escola preparatória maluca qualquer onde todos andavam falando assim, cheios de trejeitos... inexplicáveis os truques tolos da garotada de escola tempos atrás, tudo perdido – e Deni agora, na noite absurda de San Pedro, ainda gracejava no nevoeiro, como se não fizesse a menor diferença. – "DI LÉve", diz Deni, agarrando meu braço com firmeza e me encarando com a maior seriedade do alto de seu um metro e oitenta e sete, olhando para baixo, para meus curtos um metro e setenta, com olhos escuros, faiscantes, dá para ver que se trata de um doido, você percebe que a concepção de vida dele é algo que ninguém jamais teve ou terá, mesmo assim ele é capaz de sair por aí e, com a mesma seriedade, divulgar suas teorias a meu respeito, como, por exemplo, "Kerouac é uma vítima, uma VÍ-ti-maa da sua própria i ma GGI NA Ção." – Ou sua piada favorita a meu respeito, que deveria ser a coisa mais engraçada e é a mais triste história que ele ou alguém jamais contou: "Certa noite, Kerouac não quis aceitar uma coxa de galinha assada, e quando perguntei por que, ele disse: 'Estou pensando nos pobres europeus famintos'... Hiaaá, HA-Ha-HA", e prossegue com sua gargalhada fantástica, que é um imenso riso estridente que sobe ao céu especialmente concebido para ele e sob o qual eu o vejo sempre que penso nele, a noite escura, a noite que envolve o mundo, a noite na qual ele permanecia de pé no píer de Honolulu com seus quimonos japoneses contrabandeados, quatro ao todo, e os guardas alfandegários o forçam a se despir, e lá está ele na noite da plataforma, metido em quimonos japoneses, o enorme, imenso Deni Bleu, deprimido & muito, muito infeliz – "Poderia te contar uma história tão comprida que não conseguiria terminá-la mesmo que a gente desse uma volta ao mundo, Kerouac, você, mas você não, você não ia, você nunca quer ouvir – Kerouac, o que, o QUE você vai dizer para os pobres europeus famintos sobre a Puss n'Boots, aquela fábrica com o atum nos fundos, H MHmmh Ia aIIaauuu, Hiauuu, *eles fazem a mesma comida para gatos e homens,* Hiorr ihOOOOOOOOOO!" – E quando ele ria dessa maneira você percebia que ele estava curtindo pra valer, só ele, porque jamais vi essa risada esmorecer, os camaradas do navio e de todos os navios em que ele navegou não conseguiam perceber o que havia de tão engraçado assim, como também não podiam entender suas piadas, como vou demonstrar. – "Destruí o carro de Matthew Peters, você sabe – mas agora deixe-me dizer que é claro que não fiz de propósito, como Matthew Peters gostaria de acreditar, e uma porção de mentes doentias também, Paul Lyman também gosta de acreditar nisso para poder crer que também roubei a mulher dele, o que, asseguro, Kerouac, não fiz, foi meu amigo Harry McKinley quem surrupiou a mulher de Paul Lyman – dirigi o carro de Matthew até Frisco, eu ia abandonar ele lá, na rua, e embarcar, Matthew o receberia de volta, mas infelizmente, Kerouac, a vida nem sempre é como desejamos e planejamos, mas o nome da cidade, não posso e jamais vou ser capaz de – aí, ei, oh, Kerouac, você não está escutando", agarrando com força meu braço. "De leve, agora, malandro, você tá ouvindo o que eu tô te CONTANDO?"

"Claro que tô escutando!"

"Então por que você está miu, m, hu, o que há lá em cima, pássaros, você ouviu os pássaros lá em cima, mmmmi", me dando as costas, com uma sórdida e solitária risadinha, e é então que vejo o verdadeiro Deni, no instante em que ele se vira, mas não é uma boa piada, não tem jeito de fazer uma boa piada sobre aquilo, ele estava falando comigo e depois tentou fazer uma piada sobre minha aparente falta de atenção, mas não teve a menor graça porque eu estava escutando, na verdade eu estava escutando com a maior seriedade, como sempre escuto todas as suas lamúrias e lenga-lengas, mas ele me deu as costas e tentou e, com uma expressão desesperançada para dentro de si mesmo, como se, para além dela, se pudesse ver a dobrinha de um queixo duplo ou o queixo com covinhas de uma natureza de bebezão, e com pesar, com uma humildade pungente e até branda, com uma saída à francesa, ele percorreu toda a escala, desde a intriga e as maquinações absolutamente maldosas e piadas agressivas até o grande anjo Ananda bebê, lamentando-se à noite, e então eu o vi como ele é, tenho certeza. – "Cucamonga, Practamonga, Calamongonata, jamais vou me lembrar do nome daquela cidade, mas esborrachei o carro contra uma árvore, Jack, e foi isso aí, e no mesmo instante caíram sobre mim todos os crápulas, policiais, advogados, juízes, doutores, caciques indígenas, agentes de seguros, caixeiros viajantes, vigaristas de todas as – te garanto que tive sorte em escapar com vida e tive que telegrafar para casa para pedir dinheiro de qualquer espécie, pois como você sabe, minha mãe em Vermont guarda todas as minhas economias, e quando me meto em uma enrascada de lascar sempre telegrafo para casa, o dinheiro é meu."

"Sim, Deni." Só que ainda por cima havia o camarada de Matthew Peters, Paul Lyman, que tinha uma esposa, que fugiu com Harry McKinley ou de qualquer outra maneira que jamais cheguei a compreender; eles arranjaram um monte de dinheiro e embarcaram em um navio de passageiros rumo ao Oriente, e agora estavam morando com um major alcoólatra em uma vila em Cingapura e curtindo a valer, vestidos com calças leves e brancas, calçando tênis, mas Lyman, o marido, também marinheiro e na verdade companheiro de navio de Matthew Peters e (ainda que Den não soubesse a essa altura, estavam ambos a bordo do *Lurline)* (guarde isso) bang, ele estava convencido que Deni estava por trás disso tudo também; portanto, os dois haviam jurado matar Deni, ou pegá-lo de jeito, e, segundo Deni, estariam ali, no píer, quando o navio atracasse naquela noite, com armas e amigos, e eu deveria estar lá, a postos, quando Deni descesse da plataforma rapidamente, todo arrumado e pronto para se mandar para Hollywood para ver as estrelas de cinema e as garotas e todas as coisas maravilhosas a respeito das quais já tinha me escrito, eu deveria me adiantar, veloz, e entregar a ele a pistola, carregada e engatilhada, e Deni, olhando cuidadosamente para todos os cantos à procura de sombras suspeitas, pronto para se jogar ao solo, tomaria a arma de minha mão e, juntos, íamos mergulhar nas trevas do cais e correr para a cidade – para os acontecimentos seguintes, novas aventuras.

Portanto, agora o *Roamer* estava atracando, ajeitando-se ao longo da muralha de concreto, e eu rondava por ali falando calmamente com um dos marujos da popa, que dava duro com as cordas: "Por onde anda o carpinteiro?".

"Quem, o Blue? O... – vou ver ele em breve." Mais algumas perguntas e eis que surge Deni, no exato instante em que o navio estava ancorando e um grumete liberava as tapadeiras contra ratos, e o comandante soprava seu apitinho, e aquele incompreensível, lento, enorme, eterno movimento em câmera lenta dos navios estava encerrado, escutava-se o espumar da contracorrente, o mijo dos embornais – a grande jornada fantasmagórica está finda, o navio atracado – os mesmos rostos humanos de sempre surgem na amurada – e aí vem Deni metido em seus jeans e inacreditavelmente vê, na noite das brumas, seu garoto ali parado no cais noturno, conforme o planejado, com as mãos nos bolsos, prontas para se desenterrarem e tocá-lo.

"Aí está você, Kerouac, jamais pensei que viesse."

"Foi o que você me disse para fazer, não?"

"Espere uma meia hora até que eu acabe o trabalho, me lave e me arrume, e então vamos estar juntos – alguém por perto?"

"Não sei." Olhei em volta. Fazia meia hora que eu olhava para todos os lados, para carros estacionados, esquinas escuras, fendas em barracões, umbrais, nichos, criptas do Egito, tocas de ratos do cais, portas devassas e entulhos de latas de cerveja, botalós do meio dos mastros e águias-pescadoras – bah, nada, os heróis não podiam ser avistados em lugar nenhum.

DOIS DOS CÃES MAIS TRISTES jamais vistos (au, au, au), saindo daquele cais, sob a escuridão, passando por alguns guardas alfandegários que deram aquela olhadinha corriqueira para Deni e nunca teriam encontrado a pistola em seu bolso, mas ele tinha passado por toda aquela chateação para mandar ela pelo correio dentro daquele livro escavado e agora, enquanto a gente perscrutava os arredores, ele sussurrou: "Então, tudo em cima?".

"Claro, claro, no meu bolso."

"Fica frio, me entrega lá na rua."

"Tudo bem."

"Acho que eles não tão por aqui, mas nunca se sabe."

"Olhei por tudo."

"Bem, vamos nos mandar daqui e seguir adiante – já planejei tudo, Kerouac, o que vamos fazer hoje à noite, amanhã e o fim de semana todo; falei com todos os cozinheiros, está tudo combinado, uma carta de recomendação para você dirigida para Jim Jackson, do sindicato, e você vai dormir a bordo, na cabine dos cadetes, pense nisso, Kerouac, uma cabine inteira para você, e o senhor Smith concordou em sair conosco e celebrar, hm ah mmm." – O senhor Smith era o gordo pálido e pançudo, o mago da casa de máquinas, o sujeito que limpava, lubrificava, consertava, mantinha o nível da água, era o cara mais engraçado que se poderia imaginar, e Deni já estava rindo e se sentindo bem e esquecendo os inimigos imaginários

– lá fora, na rua do cais, era evidente que já estávamos a salvo. Deni vestia um elegante traje azul de sarja de Hong Kong, com ombreiras e um belo corte, uma roupa linda, na qual, ao lado dos meus farrapos da estrada, ele caminhava como um fazendeiro francês com suas enormes botinas sobre canteiros *de bledeine*, como um vagabundo de Boston percorrendo as ruas no sábado à noite para ver a rapaziada no bilhar, mas no seu estilo característico, com o sorriso Deni querubínico acentuado naquela noite pelo nevoeiro que lhe tornava o rosto arredondado jovial e avermelhado, mas não envelhecido; graças ao sol da viagem através do canal, ele parecia um personagem de Dickens subindo para tomar seu lugar na diligência em estradas poeirentas, só que a cena que se desenrolava à nossa frente enquanto a gente caminhava era desoladora. – Com Deni se caminha sempre, longas, longas caminhadas, ele não gastaria um dólar com táxis porque gosta de andar, mas houve também aqueles tempos em que eu saía com minha primeira mulher e costumava passá-la pela roleta do metrô quase sem que ela percebesse, por trás, naturalmente – um pequeno truque encantador – para poupar um níquel –, passatempo no qual Deni é invencível, como se poderia provar. – Chegamos à linha da Pacific Red Car após uma jornada rápida de cerca de 20 minutos ao longo daquelas sinistras refinarias fumegando sob impossíveis céus carregados, provavelmente de estrelas, mas das quais só se conseguia distinguir uma mancha suja no Natal do sul da Califórnia – "Kerouac, agora estamos nos trilhos da Pacific Red Car, você não faz a menor idéia do que é essa coisa, poderá dizer que pensa que sabe, mas, Kerouac, você sempre me impressionou como o sujeito mais engraçado que jamais conheci..."

"Não, Deni, VOCÊ é o cara mais engraçado que eu jamais conheci."

"Não me interrompa, não diga asneiras, não –", respondeu ele, como sempre respondia e falava, e cruzou os trilhos da Red Car a caminho de um hotel no centro de Pedro, onde alguém deveria estar nos esperando com louras, e por isso comprou duas caixas de cervejas pequenas no caminho para levarmos conosco; quando chegamos ao hotel, que tinha palmeiras dentro de vasos, fachadas de bares cheias de vasos e carros estacionados, e tudo morto e sem vento sob aquela triste névoa nevoenta triste, morta e sem vento da Califórnia, uns cucarachas cruzaram por ali em uma estrada abafada, e Deni disse: "Está vendo aquele bando de mexicanos naquele carro, metidos em seus jeans? No Natal passado, eles pegaram um dos nossos marinheiros aqui, faz um ano mais ou menos, ele não estava fazendo nada, só cuidando da vida dele, mas saltaram daquele carro e espancaram o cara pra valer – tiraram todo o dinheiro dele –, dinheiro coisa nenhuma, pura maldade, são cucarachas, gostam de dar porradas nas pessoas só pelo prazer".

"Quando estive no México, não me pareceu que os mexicanos fossem assim."

"Mexicanos nos Estados Unidos são outra conversa, Kerouac, se você tivesse andado por esse mundo como eu andei, veria, como eu vi, alguns dos duros fatos da vida, coisa que aparentemente você, com seus pobres famintos da Europa, nunca, NUNCA comPREEENNNDERÁ..." – agarrou-me de novo pelo braço caminhando com aquela ginga dos nossos tempos da escola preparatória, quando a gente costumava subir a encosta matinal ensolarada, a caminho da Horace Mann, na 246th, em Manhattan, galgando os penhascos rochosos acima do parque Van Cortlandt, na estradinha que subia entre os chalés de madeira ingleses e prédios de apartamentos até a escola recoberta de hera, no topo da colina, o bando todo gingando encosta acima, até a escola, mas nunca ninguém chegava mais depressa do que Deni, pois ele nunca parava para tomar fôlego, a subida era muito íngreme, a maioria se esbaforia, esfalfava e gemia, mas Deni gingava morro acima com sua grande gargalhada alegre. – Naquele tempo, ele vendia punhais para os almofadinhas do quarto ano, atrás dos lavatórios. – Nesta noite, ele tinha mais alguns de seus truques na manga. – "Kerouac, esta noite vou apresentar você para duas cucamongas em Hollywood se chegarmos lá a tempo, ou então amanhã, com certeza... duas cucamongas que moram em um apartamento, um prédio, todo ele construído em torno de uma piscina, está compreendendo o que digo, Kerouac?... Uma piscina, para nadarmos dentro –"

"Sei, sei, já vi naquela fotografia sua e de Matthew Peters e de todas aquelas loiras, é demais... O que vamos fazer, faturar elas?"

"Espere um pouco, antes de explicar o resto da história, me dê a arma."

"Não trouxe arma nenhuma, seu panaca, só disse que tinha trazido para que você saísse do navio... Eu estava pronto para ajudar se acontecesse alguma coisa."

"NÃO TROUXE A ARMA?" Ele começou a relembrar que tinha se vangloriado diante da tripulação: "Meu garoto está ali no cais com a arma, o que é que eu tinha dito a vocês?", e que anteriormente, quando o navio partira de Nova York, prendeu um grande aviso absurdo, ridículo e tipicamente Deni, escrito com tinta vermelha em uma folha de papel de carta: "AVISO: NA COSTA OESTE HÁ UNS SUJEITOS CHAMADOS MATTHEW PETERS E PAUL LYMAN QUE GOSTARIAM MUITO DE ESPANCAR O CARPINTEIRO DO *ROAMER* DENI E. BLEU SE PUDESSEM, MAS QUALQUER COMPANHEIRO DE BLEU QUE QUEIRA DAR UMA AJUDA FIQUE DE OLHO NESSES DOIS MALFEITORES PARASITAS QUANDO O NAVIO ATRACAR

EM PEDRO, E HAVERÁ RECOMPENSA. ASSINADO O CARPINTEIRO. BEBIDAS GRÁTIS NA CARPINTARIA ESTA NOITE" – e depois, na cantina, se vangloriara, em alto e bom som, de seu rapaz.

"Sabia que você ia dizer para todo mundo que eu tinha a arma, e por isso disse que tinha. Você não saiu mais tranqüilo do navio?"

"Cadê ela?"

"Nem fui buscar."

"Então ainda está lá. Temos que buscá-la esta noite." – Ele se perdeu em pensamentos – estava tudo bem.

Deni tinha grandes planos acerca do que ia acontecer no hotel, que era o El Carrido Per to Motpaotta Californiano duma figa, como eu já disse, cercado por palmetos dentro de vasos, com marinheiros lá dentro e também campeões de pegas de carros envenenados, filhos de co-pilotos de aeronaves de Long Beach, palpável ponto de encontro de toda a cultura corriqueira e verdadeiramente sinistra da Califórnia, com interiores sombrios onde se viam rapazes fortes e bronzeados de camisa havaiana floreada e relógio de pulso, levando à boca copos de cerveja altos e estreitos, fazendo caras e bocas e olhando com o rabo do olho, ao lado de umas minas com colares bacanas e pequenos penduricalhos de marfim nas orelhas bronzeadas e um vazio azul completo nos olhos que está na cara e também uma crueldade bestial oculta e o cheiro de cerveja e fumaça e o cheiro esperto de um salão de bar chique e elegante, toda essa americanidade que na minha juventude tinha me deixado louco para participar dela e abandonar minha casa e cair fora para me transformar no grande herói romântico da noite-jazz americana. – Isso também tinha feito Deni perder a cabeça, a certa altura ele era apenas um garoto francês tristonho e enfurecido, trazido de navio para freqüentar escolas americanas particulares, e nessa época o ódio ardia em seus ossos e em seus olhos escuros, e ele queria matar todo mundo – mas com um pouco da Sabedoria e Sensatez da educação ministrada pelos Mestres do Alto Oeste, ele passou a querer exercer seu ódio e matança apenas nos salões de bar, isso tudo ele aprendeu nos filmes de Franchot Tone e sabe Deus onde e o que mais. – Chegamos nesse lance descendo o bulevar sinistro, a rua fantasma com suas lâmpadas muito fortes e suas palmeiras bastante brilhantes mas sombrias emergindo da calçada todas com suas coroas de abacaxi se projetando para o indefinível céu noturno e sem vento da Califórnia. – Lá dentro não tinha ninguém à espera de Deni, como de costume enganado e completamente ignorado por todas as pessoas (é bom para ele, mas ele não sabe), por isso bebemos umas cervejas, ostensivamente à espera, Deni me coloca então novos fatos e sofismas pessoais, ninguém aparece, nenhum amigo, tampouco inimigos, Deni é um taoísta perfeito, nada acontece a ele, os problemas escorrem de seus ombros como água, como se ele estivesse untado com banha de porco, ele nem sequer imagina a sorte que tem, e cá está ele, com seu amigo ao lado, o velho Ti Jean, que, em busca de aventura, seguirá qualquer um a qualquer lugar. – De repente, no meio da terceira ou quarta cerveja, ele solta um urro e lembra que perdemos o trem da Red Car e que isso nos obrigará a passar outra hora nesta soturna Pedro, queremos chegar às cintilações de Los Angeles se possível ou a Hollywood antes que todos os bares fechem, em minha imaginação vejo todas as coisas maravilhosas que Deni planejou para nós lá, incompreensíveis, irrecordáveis, as imagens que eu estava inventando antes de partirmos e chegarmos ao desolador cenário verdadeiro, não a tela, mas sim a cena verdadeira, aborrecida e quadrimensional. – Bang, Deni quer pegar um táxi e seguir atrás do trem com as caixas de cerveja na mão, vamos correndo rua abaixo até um ponto de táxi e nos enfiamos dentro de um e dizemos para o motorista que siga o Red Car, o que o cara faz sem maiores comentários, conhecedor das idiossincrasias dos marinheiros, como um verdadeiro oh tão lúgubre motorista de táxi em uma oh cidade portuária tão lúgubre. – Lá vamos nós – desconfio que o cara não está dirigindo tão rapidamente como deveria se realmente quisesse alcançar o Red Car, que àquela altura segue pelos trilhos a cem por hora direto para Compton e arredores de L.A. – Desconfio que o cara não quer ser multado, mas ao mesmo tempo procura manter uma velocidade suficientemente alta para satisfazer os caprichos dos marinheiros do banco de trás – desconfio que vai apenas faturar uma nota de cinco dólares do velho Den. – E não há nada que Den goste mais do que torrar notas de cinco dólares. – Ele se delicia com isso, vive para isso, só para isso viaja ao redor do mundo trabalhando sob o convés entre equipamentos elétricos, e, pior ainda, suporta os abusos de oficiais e tripulantes (às quatro da manhã, está dormindo em seu beliche: "Ei, carpinteiro, você é o carpinteiro ou o beberrão-mor, ou o guarda-privadas? É o seguinte: aquela maldita luz do botaló da proa está queimada outra vez, não sei quem anda usando estilingues por aqui, mas quero aquela maldita luz funcionando, atracaremos em Penang dentro de duas horas e ai de você se ainda estiver escuro e não tivermos luz, quem vai se estrepar é você, e não eu, contarei tudo ao chefe"), e então Deni tem que se levantar, e posso ver ele fazendo isso, esfregando o sono inocente dos olhos e acordando para o mundo frio e cruel, desejando possuir uma espada para poder cortar a cabeça do sujeito, mas ao mesmo tempo não quer passar o resto da vida na prisão ou ficar com sua própria cabeça parcialmente cortada e ter que passar o resto da vida paralítico, com uma vara no pescoço e com as pessoas lhe levando somente restos, por isso se arrasta da cama e faz tudo o que cada besta lhe grita para fazer por qualquer motivo nos mil e um instrumentos elétricos daquela maldita e nojenta prisão de aço flutuante que, ao que tudo indica, é como eles chamam os navios. – O que significam cinco dólares para um mártir? – "Pise fundo, temos que pegar aquele trem."

"Estou indo rápido o bastante para pegá-lo." Cruzamos direto por Cucamonga. "Exatamente às 11h38, em 1947 ou 1948, agora não lembro direito do ano, mas lembro que fiz isso com outro marinheiro há alguns anos, e ele se deu bem –", e continua falando e pisando de leve naqueles pedais, para não sofrer o vexame de chegar ao sinal no exato instante em que ele fica vermelho, e eu me recosto no banco e digo:

"Você podia ter furado esse sinal, desse jeito não vamos chegar a tempo."

"Escute, Jack, você quer chegar lá, mas não quer ser multado por nenhum guarda de trânsito, quer?"

"Onde?" – pergunto, olhando pela janela para todo o horizonte, para aqueles pântanos noturnos à procura de um policial de motocicleta ou uma radiopatrulha – só se vêem pântanos e enormes distâncias negras da noite e, muito ao longe nas colinas, as pequenas comunidades com luzes de Natal nas janelas, lâmpadas vermelho-escuro, verde-turvo, azul-profundo, e subitamente elas me transpassam com pontadas e me fazem pensar: "Ah, América, tão imensa, tão triste, tão negra, você é como as folhas de um verão seco que se tornaram quebradiças antes do final de agosto, você não tem conserto, todos que você vê, não há nada além da desesperança seca e soturna, o conhecimento da morte iminente, o sofrimento da vida presente, luzes natalinas não vão salvá-lo nem a ninguém, de nada adianta acender enfeites de Natal em um arbusto morto em agosto, à noite, e lhe dar o aspecto de outra coisa qualquer, que espécie de Natal é esse que você celebra no vazio?... nessa nuvem nebulosa?"

"Está tudo perfeitamente bem", diz Deni. "Siga em frente, nós vamos conseguir." – O motorista ultrapassa o próximo sinal apenas para disfarçar, mas amolece no seguinte, e ao longo dos trilhos, para frente e para trás, não há o menor sinal da frente ou da traseira do Red Car, ora bolas – e o cara recomeça, exatamente de onde havia parado, a história do tal marinheiro que conduziu até lá uns anos atrás, mas nem sinal do Red Car, pode-se sentir sua ausência, chegou e partiu, tudo cheira a vazio. – Pelo silêncio elétrico da esquina você sente que alguma coisa acaba de estar & não está mais.

"Bem, acho que o perdi, com mil raios", diz o motorista, empurrando o chapéu para trás para se desculpar, mas com o ar mais hipócrita deste mundo, e Deni dá a ele cinco dólares, descemos, e Deni diz:

"Kerouac, isso significa que temos que esperar aqui uma hora, bem ao lado destes trilhos gélidos, nessa noite fria e nebulosa, pelo próximo trem para L.A."

"Não faz mal", digo, "temos cerveja, não temos? Abre outra", e Deni pesca duas na velha sacola, e lá surgem duas latas de cerveja espumando na noite triste, e as emborcamos, glup, glup – duas latas por cabeça, e então começamos a jogar pedras nas placas de trânsito, dançando para nos mantermos aquecidos, nos acocorando, contando piadas, relembrando o passado, Deni faz "rá, rá, rá, ru, ru, ru", e ouço novamente sua grande gargalhada vibrar na noite americana e tento dizer: "Deni, a razão pela qual segui seu navio por quatro mil e oitocentos quilômetros desde Staten Island até a maldita Pedro não era apenas porque queria embarcar e ver o mundo e ir a uma festa em Port Swettenham e curtir Bombaim ou descobrir os dorminhocos e os tocadores de flauta da imunda Carachi ou desencadear revoluções na Casbah do Cairo e seguir de Marselha para qualquer outro lugar, mas por você, por causa das coisas que costumávamos fazer, acho um barato quando estamos juntos, Deni, não posso dizer o contrário... Admito que nunca tenho dinheiro, que já estou devendo sessenta da passagem de ônibus, mas você também tem de admitir que me esforço... Lamento nunca ter dinheiro, mas você sabe que tentei, daquela vez, junto com você... Bom, que vá tudo para o inferno, uau, merda, esta noite quero mais é encher a cara. –" E Deni diz: "Não precisamos ficar aqui no frio desse jeito, Jack, olha, tem um bar ali (a luz vermelha de um boteco reluzindo sob as brumas da noite), talvez seja um bar cucaracha mexicano e nos cubram de porrada, mas vamos assim mesmo, esperamos a meia hora que falta com umas cervejas... vamos ver se tem algumas cucamongas", então nos dirigimos para lá através de um terreno baldio. Enquanto isso, Deni está muito ocupado dizendo como arruinei minha própria vida, mas já ouvi muita gente dizer isso de costa a costa, e geralmente não dou a menor bola, e esta noite não ligo para nada, e esta é minha maneira de fazer e dizer as coisas.

ALGUNS DIAS DEPOIS, o *S.S. Roamer* zarpa sem mim porque não me aceitaram no sindicato, eu não estava inscrito, e disseram que só me restava ficar por ali uns meses e trabalhar no cais ou em qualquer outra coisa e esperar por um barco costeiro para Seattle, e pensei: "Se tenho que viajar pelo litoral, vou descer para a costa que desejo." – Por isso, vejo o *Roamer* deslizar para fora da baía de Pedro, à noite outra vez, com a luz vermelha da proa e a luz verde da popa serpenteando pela água seguidas pelas luzes fantasmagóricas dos mastros, vup! (o apito do pequeno rebocador) – depois as luzes opacas, como Gandharva, ilusórias como Maya, reluzindo através das escotilhas das cabines onde alguns tripulantes lêem nos beliches, outros lancham na cantina e outros, como Deni, escrevem cartas avidamente, com uma imensa caneta tinteiro de tinta vermelha, me assegurando que na próxima volta ao mundo vou embarcar no *Roamer.* "Mas não me interessa, vou para o México", digo a mim mesmo e me dirijo para os trilhos da Pacific Red Car, acenando para o barco de Deni que desaparece ao longe...

Entre as travessuras dementes que aprontamos depois daquela primeira noite de que falei, arrastamos um enorme *tumbleweed** pela prancha de desembarque às três da manhã da véspera de Natal e o enfiamos no dormitório do pessoal da casa de máquinas (todos roncavam) e o deixamos ali. – Quando acordaram pela manhã, pensaram que estivessem em algum outro lugar, na selva ou algo parecido, e voltaram para a cama. – Por isso, quando o maquinista-chefe grita: "Quem foi que trouxe essa árvore do demônio para bordo?" (tinha três metros por três, uma imensa bola de gravetos secos), por todo o coração de ferro do navio, de cima a baixo, ouve-se Deni uivando: "Hoo hoo hoo! *Quem foi que trouxe essa árvore do demônio para bordo?* Ah, esse maquinista-chefe é um sujeito muito go-za-a-do!".

---

* *Tumbleweed*: planta típica do deserto norte-americano; no outono, seus galhos secos desprendem-se das raízes. Esses galhos retorcidos se enroscam como bolotas e são soprados pelo vento, rolando pelo deserto e espalhando as sementes da planta. (N. do T.)

2. Felás* do México

QUANDO VOCÊ CRUZA A FRONTEIRA em Nogales, Arizona, alguns guardas americanos de aparência bastante severa, alguns com a cara lívida e pastosa, com sinistros óculos escuros, se metem a vasculhar sua bagagem *beat* em busca dos sinais do escorpião da esculhambação. – Você aguarda pacientemente como sempre se faz na América entre aqueles tiras aparentemente intermináveis e suas intermináveis leis *contra* (não há leis *a favor*) – mas, no momento em que transpõe o pequeno portão de arame e penetra no México, você se sente como quando escapava da escola depois de dizer para a professora que estava se sentindo mal, e ela dizia que você podia ir para casa às duas da tarde. – Sente-se como se acabasse de chegar da missa dominical, tirasse o terno e enfiasse o macacão velho e macio para brincar – olhando ao redor, você vê rostos felizes e sorridentes, ou pensativos rostos sombrios de amantes preocupados e pais e policiais, ouve a música das cantinas que chega até você através do parque repleto de balões e pirulitos. – No meio do pequeno parque, há um coreto para concertos, verdadeiros concertos

* Felás: nome dado aos camponeses e lavradores do Antigo Egito. (N. do T.)

para o povo, gratuitos – gerações de tocadores de marimbas talvez, ou uma banda de jazz de Orozco executando hinos mexicanos para El Presidente. – Você penetra sedento pelas portas de vaivém de uma taberna, pega cerveja, se vira e vê uns caras jogando bilhar, cozinhando tacos, de *sombreros*, alguns com armas penduradas nos quadris de rancheiro, e grupos de comerciantes que cantam e atiram pesos aos músicos que caminham de um lado para outro do salão. – É a sensação maravilhosa de adentrar na Terra Pura, especialmente por ficar tão próxima da aridez do Arizona e do Texas e de todo o sudoeste – mas se pode encontrar esse tipo de sensação, essa sensação camponesa com relação à vida, essa alegria perene de gente que não está comprometida com os grandes problemas da cultura e da civilização – é possível encontrá-la em quase toda a parte, no Marrocos, em toda a América Latina, em Dacar, no Curdistão.

Não há "violência" no México, isso tudo é uma estupidez inventada por roteiristas de Hollywood ou por escritores que foram ao México para "serem violentos" – sei de um americano que esteve no México para fazer arruaça nos bares porque no México geralmente não se é preso por conduta desordeira, meu Deus, tenho visto homens brigando de brincadeira no meio da rua, engarrafando o trânsito, rindo às gargalhadas, enquanto pessoas passam e sorriem – o México geralmente é gentil e agradável, mesmo quando se viaja entre sujeitos perigosos, como fiz – quer dizer, "perigosos" no sentido que damos à palavra na América – na verdade, quanto mais você se afasta da fronteira, quanto mais penetra no país, mais agradável ele se torna, como se a influência das civilizações pairasse sobre a fronteira como uma nuvem.

A TERRA É COISA DOS ÍNDIOS – Me acocorei nela, enrolei grossos baseados de maconha no chão de terra batida de casebres de galhos secos não longe de Mazatlan, perto do centro mundial do ópio, e salpicamos ópio em nossos melhores baseados – nossos calcanhares estavam encardidos. Falamos de Revolução. O dono da casa era da opinião de que originalmente os índios tinham sido senhores da América do Norte, bem como da América do Sul, e já era tempo de avançar e dizer: "*La tierra esta la notre*" – (a terra é nossa) – o que ele realmente disse, estalando a língua, gingando os quadris e curvando os loucos ombros para que víssemos sua dúvida e a sua desconfiança de qualquer um que não compreendesse o que ele queria dizer, mas eu estava lá e compreendi muito bem. – No canto, uma índia de 18 anos estava sentada meio de lado atrás de uma mesa, com o rosto nas sombras bruxuleantes de uma vela – nos observando, a todos nós, cheia de ópio ou cheia de si por ser a mulher de um homem que pela manhã saía para o pátio com um machado para cortar lenha, atirando-o no chão preguiçosa e languidamente, se virando de repente para gesticular e dizer alguma coisa para sua companheira. – O zumbido sonolento da Aldeia dos Felás ao meio-dia – não muito longe do mar, cálido, o tropical Pacífico de Câncer. – Montanhas de cristas enrugadas se ergueram durante todo o percurso desde Calexico, Shasta, Modoc e o rio Columbia, avistado de Pasco, por trás da planície na qual se assentava a costa. – Uma estrada de terra de mil e quinhentos quilômetros conduzia até lá – pacatos ônibus de 1931, estreitos e de estilo simplório, com alavancas de embreagem antiquadas que iam direto para os buracos no assoalho, velhos bancos laterais de madeira sólida, avançando aos solavancos em meio à poeira interminável, cruzando Navajoas, Margaritas e choupanas ressecadas de Doctor Pepper no deserto suíno geral, e olhos de porco em *tortillas* meio queimadas – torturada estrada – conduzia a esta capital do reino mundial do ópio – Ah, Jesus – olhei para o meu anfitrião. – No chão de barro batido, em um canto, roncava um soldado do exército mexicano, era a revolução. O índio estava furioso. "*La tierra esta la notre* –"

Enrique, meu guia e companheiro, não sabia pronunciar "H" e tinha que dizer "K" – porque sua origem não estava sepultada no nome espanhol Vera Cruz de sua cidade natal, mas sim na língua misteca. – Nos ônibus que sacolejavam por aquela eternidade, ele gritava constantemente em inglês: "HK-o-t? HK-o-t?* Significar *caliente*. Entende?"

"Claro, claro."

"Está k-o-t... está k-o-t... significa *caliente*. 'HK-eat!... eat."

"H-eat!** "

"Que letra é – alfabeto?"

"H."

"É... HK?"

"Não. H..."

"Difícil para mim pronunciar. Não consigo."

Quando dizia "K", seu queixo inteiro saltava para frente, e eu via o índio em seu rosto. Agora ele estava acocorado no chão explicando ansiosamente ao nosso anfitrião, que pela atitude altiva percebi ser o rei de alguma nobre quadrilha estabelecida no deserto, pelo modo completamente desdenhoso como abordava todo e qualquer assunto que surgisse, como se fosse rei por sangue e por direito, tentando persuadir ou proteger, ou pedir algo, enquanto eu permanecia sentado sem dizer nada, olhando, como Gerardo, ali no canto. – Gerardo escutava com

---

* *Hot:* quente. (N. do T.)

** *Heat:* calor. (N. do T.)

ar espantado seu irmão mais velho fazer um louco discurso diante do rei sobre as circunstâncias do estranho gringo americano com seu saco de marinheiro. Assentia, olhava de soslaio como um velho mercador, e o anfitrião escutava, se virava para a mulher, mostrou a língua e lambeu os dentes de baixo, depois cravou os dentes de cima no lábio inferior para fazer uma rápida careta de escárnio sob a incompreensível escuridão mexicana suspensa acima da cabana iluminada por velas sob as estrelas do trópico de Câncer da costa do Pacífico como em Acapulco, nome de guerra. – O luar lavava as rochas de El Capitan lá embaixo. – Os pântanos do Panamá mais tarde e suficientemente cedo.

Apontando com braço enorme, dedo, o anfitrião: – "É na crista de montanhas do grande planalto! os deuses da guerra estão profundamente sepultados! as cavernas sangram! tiraremos a serpente das florestas! arrancaremos as asas do grande pássaro! viveremos nas casas de ferro viradas de cabeça para baixo em campos aos frangalhos!"

"*Si!*", disse nosso pacato amigo sentado na beira da cama tosca de palha. Estrando se chamava ele. – Barbicha, olhos desanimados, castanhos, melancólicos e narcóticos, ópio, mãos caídas, estranho feiticeiro sentado à direita desse rei – lançava observações ocasionais que os outros escutavam, mas, sempre que tentava desenvolver o assunto, nada feito, se tornava repetitivo, chateava, e eles se recusavam a escutar suas elucubrações e os retoques artísticos de sua infusão. – O que queriam mesmo era sacrifício carnal primordial. Nenhum antropólogo deve esquecer os canibais, nem evitar a Auca. Me dêem um arco e uma flecha e eu vou; estou pronto, passagem aérea, por favor; classe econômica; a lista está vazia; os cavaleiros se tornam mais ousados à medida que envelhecem; os jovens cavaleiros sonham.

De leve. – Nosso rei índio não queria nada com idéias experimentais; escutou a verdadeira súplica de Enrique, tomou nota das alucinadas palestras de Estrando, observações guturais bem temperadas expelidas incisivamente como loucura interna e pelas quais o rei tinha aprendido tudo quanto sabia que a realidade haveria de pensar dele – me olhou com sincera desconfiança.

Eu o ouvi perguntar em espanhol se o gringo era algum tira seguindo ele desde L.A., algum homem do FBI. Entendi e disse que não. Enrique tentou dizer a ele que eu estava *interessa*, apontando para a própria cabeça para significar que eu estava interessado nas coisas – me esforçava para aprender espanhol, eu era uma cabeça feita, *cabeza*, também *chucharro* – (maconheiro). – *Chucharros* não interessavam ao rei. Ele entrou em Los Angeles caminhando descalço desde a escuridão mexicana, o rosto negro exposto às luzes – alguém lhe arrancou o crucifixo do pescoço, algum tira ou algum vadio, rosnou ele ao recordar, sua vingança ou era silenciosa ou alguém tombava morto, e eu era o cara do FBI – o esquisito perseguidor de suspeitos mexicanos fichados por terem deixado suas pegadas nas calçadas de L.A. e correntes na cadeia, heróis revolucionários do entardecer em potencial, bigodes sob a suave luz avermelhada.

Ele me mostrou uma bolinha de O. – Identifiquei o produto. – Ficou parcialmente satisfeito. Enrique voltou a falar em minha defesa. O feiticeiro sorriu internamente, não tinha tempo para bobagens, nem para danças da corte nem para canções bêbadas nos becos de putas à procura de gigolôs – era Goethe na corte de Frederico Weimar. – Vibrações de televisão telepática envolveram a sala quando, silenciosamente, o rei decidiu me aceitar – e quando aceitou, ouvi seu cetro cair nos pensamentos deles todos.

E oh o mar sagrado de Mazatlan e a grande planície rubra do anoitecer com burros e *aznos* e cavalos vermelhos e castanhos e pulque de cactos verdes.

As três *muchachas* a três quilômetros de distância conversando em grupinho no exato centro concêntrico do círculo do universo vermelho – a suavidade de sua conversa jamais poderia chegar até nós, nem aquelas ondas de Mazatlan as destruiriam com seu clamor – ventos amenos do mar para embelezar a erva – três ilhas a um quilômetro e meio da costa – rochedos – os telhados enlameados da Cidade dos Felás, o crepúsculo no horizonte...

EXPLICANDO: EU TINHA PERDIDO O NAVIO em San Pedro e estava a meio caminho da viagem desde a fronteira mexicana em Nogales, Arizona, que tinha feito em ônibus baratos de segunda classe desde a Costa Oeste até a Cidade do México. – Conheci Enrique e Gerardo, seu irmão mais novo, enquanto os passageiros esticavam as pernas entre as cabanas do deserto de Sonora onde grandes índias gordas serviam *tortillas* e carne quentes, tiradas de fogões de pedra, e enquanto você esperava por seu sanduíche, os leitõezinhos se enroscavam ternamente em suas pernas. – Enrique era um garoto legal e afável de cabelos negros e olhos negros que estava fazendo aquela viagem épica até Vera Cruz, a mais de três mil quilômetros de distância, no golfo do México, com seu irmão mais novo, por alguma razão que jamais descobri – tudo que me disse foi que dentro de seu rádio de madeira feito em casa trazia escondido cerca de um quarto de quilo de uma poderosa maconha verde-escura, ainda com musgo e longos fiapos pretos, sinal de que era mesmo da boa. – Começamos a queimá-la no ato entre os cactos nos fundos das estações do deserto, rindo acocorados sob o sol abrasador, enquanto Gerardo nos observava (ele tinha só 18 anos, e o irmão mais velho o proibia de fumar) – "Por quê? Porque marijuana faz mal pras vistas e mal para *la ley*" (ruim para os olhos e proibida pela lei). – "Mas tu!", apontando para mim, "e *eu!*", apontando para si mesmo, "tudo bem." Decidiu ser meu guia na grande viagem através dos espaços continentais do México – falava um pouco de inglês e tentou me explicar a grandeza épica de sua terra, e eu com certeza concordei com ele. – "Está vendo?", perguntava, apontando para as distantes cordilheiras. "*Mérrico!*"

O ônibus era uma lata velha, alto e frágil, com bancos de madeira, como já disse, e nele entravam passageiros de poncho e chapéu de palha com suas cabras ou porcos ou galinhas, enquanto garotos viajavam na capota ou dependurados, cantando e gritando na parte traseira. – Lá fomos nós aos trancos e solavancos por aquela estrada de terra de mil e quinhentos quilômetros, e, quando chegávamos a um rio, o motorista simplesmente enfiava o veículo na água rasa limpando a poeira e sacolejava em frente. – Cidades estranhas como Navajoa, onde dei uma caminhada solitária e vi, no mercado ao ar livre, um açougueiro parado diante de um monte repugnante de carne à venda, em meio a um enxame de moscas, enquanto cães felás raquíticos circulavam famintos sob a mesa – e cidades como Los Mochis (As Moscas), onde paramos para beber Crush como fidalgos sentados em mesinhas pegajosas, enquanto a manchete do jornal de Los Mochis falava de um duelo à meia-noite entre o chefe de polícia e o prefeito – a notícia corria por toda a cidade, provocava excitação nos becos alvos – ambos com revólveres na cintura, bang, blam, bem ali na rua lamacenta em frente à cantina. – Agora estávamos em uma cidade mais ao sul, em Sinaloa, e tínhamos saído do velho ônibus à meia-noite para caminharmos em fila indiana através das favelas rondando os bares ("Não ser bom tu e eu e Gerardo entrar em cantina, ser mau para *la ley*", disse Enrique), e então, com Gerardo carregando meu saco de marinheiro às costas como um verdadeiro amigo e irmão, atravessamos uma grande praça de terra batida deserta e chegamos a um amontoado de choças de galhos secos formando uma pequena aldeia não longe da rebentação suave do mar reluzindo sob as estrelas, batemos à porta daquele selvagem homem bigodudo que tinha ópio, e nos deixaram entrar em sua cozinha iluminada por velas onde ele e Estrando, seu feiticeiro de barbicha, polvilhavam pitadas vermelhas de ópio puro em grandes cigarros de maconha do tamanho de charutos.

O anfitrião nos autorizou a passar a noite na pequena cabana de telhado de palha ali ao lado – esse refúgio pertencia a Estrando, que foi muito amável em nos deixar dormir lá –, nos conduziu até o local à luz de velas, retirou seu único pertence, que consistia em sua reserva de ópio escondida sob o colchão estendido na terra onde ele dormia, e então saiu fora para dormir em outro canto qualquer. – Só tínhamos um cobertor e tiramos a sorte para ver quem dormiria no meio; sobrou para Gerardo, que não reclamou. – Pela manhã, levantei e espiei para fora através dos gravetos: era uma encantadora e sonolenta aldeiazinha de choças de palha com adoráveis donzelas de pele morena transportando nos ombros jarros d'água do poço principal – a fumaça das *tortillas* erguia-se entre as árvores – cães ladravam, crianças brincavam e, como já disse, nosso anfitrião estava de pé, cortando lenha com um machado, jogava-a ao chão e rachava as achas (ou gravetos finos) exatamente no meio, uma cena surpreendente. – Quando eu quis ir à privada, indicaram um antigo assento de pedra que dominava toda a aldeia como o trono de um rei, e tive que sentar nele à vista de todo mundo, era completamente ao ar livre – mães passavam sorrindo gentilmente, crianças olhavam com o dedo na boca, garotas cantarolavam ao trabalhar.

Começamos a arrumar as coisas para retornar ao ônibus e seguir viagem para a Cidade do México, mas antes comprei cento e vinte gramas de maconha; porém, assim que o negócio foi concluído, um destacamento de soldados mexicanos e uns poucos policiais esfarrapados entraram na cabana com olhares melancólicos. – Perguntei a Enrique: "Ei, vamos ser presos?" Ele disse que não, que eles queriam apenas um pouco de maconha para eles, de graça, e que nos deixariam partir em paz. – Assim, Enrique repartiu com eles mais ou menos a metade do que tínhamos, eles se acocoraram em torno da cabana e enrolaram grossos baseados no chão. – Eu estava tão mal da ressaca de ópio que jazia deitado encarando todo mundo com a sensação de que me enfiariam em um espeto, cortariam meus braços, me pendurariam de cabeça para baixo em uma cruz e me queimariam na fogueira perto daquela imponente privada de pedra. – Uns meninos me trouxeram uma sopa de pimenta malagueta e todo mundo sorriu quando a bebi, deitado de lado – aquilo me incendiou a garganta, me fez arfar, tossir e espirrar, e instantaneamente me senti melhor.

Nos levantamos, e Gerardo pôs outra vez meu saco de marinheiro às costas, Enrique escondeu a marijuana em seu rádio de madeira, apertamos solenemente a mão do nosso anfitrião e do feiticeiro, séria e solenemente apertamos a mão de cada um dos dez policiais e soldados e caímos fora outra vez em fila indiana sob o sol ardente na direção da rodoviária da cidade. – "Agora", disse Enrique, dando uns tapinhas no rádio feito em casa, "estamos prontos para fazer a cabeça."

O sol estava muito quente, e estávamos suando – chegamos a uma igreja grande e bonita no velho estilo das Missões espanholas, e Enrique disse: "Vamos entrar aqui" – para mim foi fantástico lembrar que éramos todos católicos. – Entramos, e Gerardo se ajoelhou primeiro, depois Enrique e eu nos ajoelhamos também, fizemos o sinal-da-cruz, e ele sussurrou no meu ouvido: "Está vendo? Está fresco na igreja. É bom sair do sol por um minuto".

Ao anoitecer, paramos um instante em Mazatlan para nadarmos de cueca naquela praia magnífica e foi ali mesmo, na praia, com um enorme baseado fumegando na mão, que Enrique se virou e apontou para o interior, para os deslumbrantes campos verdejantes do México, e disse: "Está vendo três garotas no meio do campo, lá longe?", olhei e voltei a olhar e mal pude vislumbrar três pontos solitários no meio de uma pastagem distante. "Três *muchachas*", disse Enrique. "É *Mérrico*!"

Enrique queria que eu fosse com ele até Vera Cruz: "Minha profissão é sapateiro. Você fica na minha casa, com as garotas, eu trabalho. Escreve seus livros *interessa*, nós arranjaremos uma porção de garotas".

Jamais voltei a vê-lo depois da Cidade do México, porque não tinha grana nenhuma e tive que ficar no sofá de William Seward Burroughs. E Burroughs não queria saber de Enrique por lá: "Você não deve se misturar com esses mexicanos, são todos um bando de vigaristas".

Ainda tenho o pé de coelho que Enrique me deu quando partiu.

ALGUMAS SEMANAS DEPOIS fui ver minha primeira tourada, que, devo confessar, era uma *novillera*, uma tourada com aprendizes, e não a tourada real realizada no inverno e que supostamente é bastante artística. O interior da arena é perfeitamente concêntrico, com um bem-feito círculo de areia marrom que é nivelado e alisado por alisadores encantadores, como o sujeito que alisa a segunda base do Yankee Stadium, com a diferença que aqui é o estádio Come-Poeira. – Quando sentei, o touro tinha acabado de entrar, e a orquestra já estava sentando outra vez. – Belas roupas bordadas se ajustavam coladas no corpo dos garotos atrás de uma cerca. – Eles se mantiveram solenes quando um grande e belo touro negro e reluzente irrompeu a galope de um canto para onde eu ainda não tinha olhado, onde aparentemente estava mugindo para que o socorressem, narinas pretas e grandes olhos brancos e chifres largos, todo peito e nada de barriga, pernas finas e lustrosas como as de um fogão tentando socar a terra com todo aquele peso de locomotiva – alguns espectadores riram baixinho – o touro galopou como um relâmpago, os feixes de músculos reluziram na pele perfeita. – O matador avançou e o desafiou, e o touro se armou e arremeteu, o matador o enganou com a capa, deixou que os chifres passassem rente às virilhas, envolveu o touro com a capa e se afastou como um maioral – parou de costas para o touro estúpido e perfeito, que não investiu como em *Sangue e areia* e não arremessou o *señor* Maioral para as arquibancadas do estádio. Depois as coisas se complicaram. Apareceu o velho cavalo pirata com um tapa-olho, CAVALEIRO picador montado com uma lança, pronto para enterrar algumas lascas de aço no lombo do touro, que reage tentando atingir o cavalo, mas o cavalo está encouraçado (graças a Deus) – cena histórica e louca, só que de repente você percebe que o picador acaba de iniciar a interminável sangria do touro. As emboscadas que conduziam o pobre touro a uma vertigem insensata eram continuadas pelo pequeno e audaz bandarilheiro de pernas tortas, carregando dois dardos com fitas, lá vai ele direto de encontro ao touro, lá vem o touro direto de encontro a ele, vupt, não houve choque frontal porque o bandarilheiro cravou o dardo e se desviou antes que houvesse tempo de a platéia dizer buu (e eu disse buu), tudo isso só porque um touro é difícil de fintar? Está bem, mas as bandarilhas o deixam a gotejar sangue como o Cristo de Marlowe no paraíso. – Um velho matador aparece e testa o touro com umas volteadas da capa, depois outro par de dardos, agora com uma bandeirinha que fica pendurada no flanco do touro vivo e sofrido, e todo mundo *satisfeito*. – Dessa vez a investida do touro é cambaleante, por isso, o sério herói matador se prepara para matar, enquanto o bombo toca na orquestra, fica tudo em silêncio como uma nuvem passando diante do sol, ouve-se a garrafa de um bêbado se estilhaçar a um quilômetro de distância no cruel campo espanhol verde aromático – as crianças param de mastigar guloseimas – o touro pára sob o sol, cabisbaixo, arquejando pela vida, com os flancos *se batendo* nas costelas e com o dorso crivado de dardos como São Sebastião. – O jovem matador de passos cautelosos, valente o bastante a sua maneira, se aproxima, pragueja e o touro se volta e avança de pernas trôpegas contra a capa vermelha, investe escorrendo sangue por todos os lados, e o garoto o faz passar pelo arco imaginário, gira e permanece um instante na ponta dos pés com os joelhos voltados para dentro. E, meu Deus, não estou disposto a ver seu ventre liso e rijo rasgado por um chifre. – Ele acena de novo a capa para o touro, que permanece quieto pensando: "Oh, por que não posso ir para casa?", e o matador se aproxima mais, e agora o animal endireita suas pernas fatigadas para correr e fugir, mas uma delas escorrega e ergue uma nuvem de pó. – Mas ele volta a equilibrar-se e desvia-se para descansar. – O matador ocultou a espada e provocou o touro submisso de olhos vidrados. – O touro levantou as orelhas e não se moveu. – O corpo inteiro do matador se enrijeceu como uma tábua tesa sob o peso de muitos pés – um músculo surgiu sob a meia. – O touro investiu escassos noventa centímetros e se virou em uma nuvem de poeira, e o matador arqueou as costas à frente como um homem que se inclina sobre um fogão aceso para retirar qualquer coisa que está do outro lado e enfiou um metro de espada na junção das omoplatas do touro. – O matador se afastou para um lado, o touro para outro com a espada enterrada até o fundo, cambaleou, começou a correr, olhou com surpresa humana para o céu & para o sol, gorgolejou. Oh, não deixem de assistir isso, meus amigos! – Lançou ao ar dez litros de sangue e salpicou tudo ao redor – caiu de joelhos sufocado pelo próprio sangue, torceu o pescoço e subitamente se transformou em um boneco desengonçado e deixou a cabeça pender. – Ainda não estava morto, um extra idiota surgiu correndo e lhe cortou a jugular com um punhal, e o touro enterrou o canto de sua pobre boca na areia e mascou sangue ressequido. – Seus olhos! Oh, seus olhos! – Idiotas riram por causa do efeito do punhal, como se fosse possível esperar outra coisa. – Uma parelha de cavalos histéricos entrou para arrastar o touro preso por uma corrente, partiu a galope, mas a corrente se rompeu, e o touro deslizou pela areia como uma mosca morta chutada inconscientemente por um pé. – Fora, fora com ele! – Ele se foi, a última coisa que se viu foram seus olhos brancos fixos. – O próximo touro! – Primeiro os velhos garotos juntam o sangue com pás, jogam em um carrinho de mão e saem de cena. O alisador da arena retorna calmamente com seu ancinho. – "Olé!", garotas jogam flores para o assassino de animais de colete bordado. E eu vi como todo mundo morre e ninguém vai se importar, senti como é horrível viver apenas para morrer como um touro encurralado em uma arena humana estridente.

Jai Alai, México, Jai Alai!

NO MEU ÚLTIMO DIA NO MÉXICO estou na igrejinha perto de Redondas, na Cidade do México, às quatro horas da tarde cinzenta, caminhei a cidade inteira entregando encomendas nas agências de correios, comi uns chocolates como café-da-manhã e agora, com duas cervejas no bucho, descanso na igreja contemplando o vazio.

Exatamente acima de mim há uma grande e atormentada estátua de Cristo na cruz, logo que a vi me sentei instantaneamente sob ela, depois de olhá-la por uns segundos de pé, com as mãos apertadas uma na outra – ("Jeanne!", chamam no pátio, mas não é para mim, corro à porta e olho, chamavam uma senhora qualquer.) – "*Mon Jésus!*", exclamo, olho para cima e lá está Ele, deram a Ele um rosto atraente como o do jovem Robert Mitchum e fecharam-lhe os olhos na morte, embora um esteja ligeiramente aberto e também se pareça com os olhos do jovem Robert Mitchum ou de Enrique chapado de erva olhando através da fumaça do fumo dizendo: "*Hombre*, cara, é o fim". – Seus joelhos estão tão esfolados, tão profundamente feridos que só se vê um buraco com uns três centímetros de profundidade onde antes eram as rótulas por causa das quedas com a cruz de cem quilômetros de comprimento às costas, e, quando Ele se verga com a cruz nas pedras, obrigam-no a cair de joelhos, e Ele já os tinha feridos daquela maneira no momento no que O pregaram na cruz – eu estava lá. – Ali está o grande corte em suas costelas, onde os lanceiros cravaram a ponta de suas espadas. – Eu não estava lá, se estivesse teria gritado: "Parem com isso!", e teria sido crucificado também. – A Santa Espanha enviou aos astecas do México, que arrancavam corações em sacrifícios, uma imagem de ternura e piedade, dizendo-lhes: "Faríeis isto ao Homem? Eu sou o Filho do Homem, nasci do Homem, sou o Homem, isto vós faríeis a Mim, que sou Homem e Deus – sou Deus, e vós transpassaríeis Meus pés amarrados com longos pregos de ponta afiada levemente entortados pela força de quem os martela – faríeis isso a Mim, que preguei o amor?"

Ele pregou o amor, e vocês o amarraram a uma árvore e o pregaram com pregos, seus tolos, vocês devem ser perdoados.

Vê-se o sangue correndo de Suas mãos para Suas axilas e pelos flancos. – Os mexicanos Lhe envolveram as virilhas com um gracioso veludo vermelho, é uma estátua alta demais para ter medalhas alfinetadas Naquele Pano Sagrado da Vitória.

Que Vitória, a Vitória de Cristo! Vitória sobre a loucura, a doença da espécie humana. "Matem-no!", rugem ainda nas lutas, rinhas de galo, touradas, lutas de boxe, brigas de rua, lutas no campo, combates aéreos, guerra de palavras – "Matem-no!" – Mate a Raposa, o Porco e a Sífilis.

Cristo em Sua agonia, rogai por mim.

A estátua mostra Seu corpo pendendo da cruz pelas mãos pregadas, com a perfeita inclinação do corpo dada pelo artista, escultor devoto que trabalhou com todo seu coração, com a compaixão e tenacidade de um Cristo – um meigo, quem sabe índio, católico espanhol do século 15, entre ruínas de adobe e barro e a fétida fumaça de meio milênio indígena na América do Norte, vislumbrou esse *statuo del Cristo* e o instalou na nova igreja que, hoje, na década de 50, passados quatro ou cinco séculos, perdeu partes do telhado onde algum Michelangelo espanhol pintou querubins e figuras angelicais para a inspiração dos que olhavam para o alto nas manhãs dominicais enquanto o bondoso padre explicava detalhes das leis religiosas.

Rezo de joelhos por tanto tempo, olhando de soslaio para cima, para meu Cristo, que desperto subitamente em transe na igreja, com os joelhos doloridos e a súbita percepção de que estava escutando um profundo zumbido nos ouvidos, e ele perpassa toda igreja e meus ouvidos e cabeça e todo o Universo, o silêncio intrínseco da Pureza (que é Divina). Sento calmamente no banco, esfregando os joelhos, o silêncio é retumbante. –

Lá na frente fica o altar, a Virgem Maria branca em um cenário de adornos azuis-brancos-e-dourados – fica longe demais para se ver com precisão, prometo me aproximar do altar assim que algumas pessoas saírem. – As pessoas são todas mulheres, jovens e velhas, e de repente surgem duas crianças esfarrapadas, enroladas em um cobertor e descalças, caminhando lentamente pelo corredor à direita, o mais velho segura ansiosamente alguma coisa na cabeça do irmão mais novo, me pergunto por que – estão ambos descalços, mas ouço o ruído de saltos, me pergunto por que – avançam em direção ao altar, se viram e se dirigem a um caixão de vidro com a estátua de um santo, sempre caminhando lentamente, com ansiedade, tocando em tudo, olhando para cima, se arrastando infinitesimalmente pela igreja e absorvendo tudo completamente. – Junto ao caixão o garoto menor (três anos) toca no vidro, se coloca aos pés do morto, toca no vidro, e eu penso: "Eles compreendem a morte, param aqui na igreja, sob céus de um passado sem começo e seguem em direção a um futuro sem fim, eles próprios à espera da morte, aos pés do morto, em um templo sagrado". – Tenho uma visão de mim mesmo e dos dois meninos suspensos em um grande universo infinito, nada acima, nada embaixo além do Nada Infinito, sua Enormidade, inumeráveis mortos em todas as direções da existência, quer interiormente nos mundos atômicos do nosso corpo, quer exteriormente no universo que talvez seja apenas um átomo em uma infinidade de mundos atômicos, embora cada mundo atômico seja apenas uma figura de linguagem – dentro, fora, acima, abaixo, nada senão vazio, majestade divina e silêncio para os dois garotos e para mim. – Ansioso, observo eles partirem; para meu espanto, vejo uma menina pequenina, um pingo de gente de 40 ou 50 centímetros de altura, dois anos ou um ano e meio de idade, cambaleando como um patinho entre eles e muito abaixo deles, um tímido cordeirinho no chão da igreja. A ansiedade do irmão mais velho se devia ao fato de que queria manter um xale sobre a cabeça dela e queria que o irmão mais moço segurasse a ponta *dele*, entre eles e sob aquele dossel caminhava a Princesinha Querida, observando a igreja com seus imensos olhos castanhos e a bater os saltinhos de seu sapato.

Mal eles saem, começam a brincar com as outras crianças. Muitas crianças estão brincando na entrada rodeada por um jardim, algumas delas ficam paradas e encaram a parte superior da fachada da igreja, olham para as imagens dos anjos de pedra que a chuva desgastou.

Me curvo diante de tudo isso, ajoelho na entrada do meu banco e saio, lançando um último olhar para St. Antoine de Padue (St. Anthony), Santo Antônio de Pádua. – Na rua tudo é perfeito outra vez, o mundo está constantemente impregnado pelas rosas da felicidade, mas nenhum de nós sabe disso. A felicidade consiste em compreender que tudo é um grande e estranho sonho.

3. A terra das ferrovias

TINHA UM PEQUENO BECO em San Francisco atrás da estação da Southern Pacific, na esquina da Third com a Townsend, de tijolos vermelhos de sonolentas tardes preguiçosas com todo mundo trabalhando nos escritórios, você sente no ar a disparada iminente de sua faina frenética, tão logo começarem a se despejar em massa dos edifícios da Market e Sansome a pé e de ônibus, todos bem vestidos, pela Frisco operária dos Prédios Sem Elevador?? caminhoneiros e até a pobre Third Street, encardida de fuligem dos vagabundos perdidos, até mesmo negros tão desesperados e que abandonaram o Leste, o senso de responsabilidade e as *tentativas* há tanto tempo que agora tudo o que fazem é ficar parados por ali cuspindo nos cacos de vidro, às vezes até cinqüenta deles em uma única tarde, escorados em uma parede da Third com a Howard, e por ali cruzam todos aqueles engravatados de Millbrae e San Carlos, produtores e usuários do transporte coletivo da América e da civilização do Aço que passam correndo com *Chronicles* de San Francisco e *Call-Bulletins* verdes debaixo do braço, sem tempo suficiente sequer para se mostrarem superiores, pois precisam apanhar o 130, o 132, o 134, o 136 e por aí afora até o 146, a tempo da hora do jantar nos lares da terra das ferrovias, quando alto no céu estrelas mágicas rodam acima de poderosos trens de carga. – É tudo na Califórnia, é tudo um mar, eu nado para fora dele em tardes de meditação sob o sol cálido, com meus jeans, com um lenço na cabeça, com a lanterna de guarda-freios ou (caso não esteja trabalhando) com livros, encaro o céu azul da pureza perfeita perdida e sinto o vergar da madeira da velha América sob meus pés e mantenho conversas insanas com negros em janelas vários andares acima e tudo flui, as manobras de desengate dos vagões naquele pequeno beco, tão igual aos becos de Lowell, e escuto muito longe, na sensação da noite que está por vir, aquela máquina chamando nossas montanhas.

MAS ERA AQUELE LINDO GRUPO de nuvens que eu sempre podia ver acima do pequenino beco da S.P.*, algodão flutuando desde Oakland ou do desfiladeiro de Marin para o norte, ou para o sul de San Jose, a claridade californiana de rachar o coração. Era a fantástica sonolência, o zumbido do zunzum zunindo na tarde sonolenta, nada para fazer, velha Frisco com aquela melancolia do fim da terra – as pessoas – o beco repleto de caminhões e carros das redondezas comerciais, e ninguém sabia ou estava longe de se interessar por quem eu havia sido a vida inteira, a seis mil quilômetros do nascimento-oh, escancarado, e finalmente eu pertencia a mim mesmo na Grande América.

Agora é noite na Third Street, pequenos neons chamativos e também luzes amareladas de espeluncas impossíveis-de-se-acreditar com sombras escuras arruinadas se movendo por trás de tapa-luzes rotos amarelos, como

* Abreviação de Southern Pacific, uma das principais ferrovias norte-americanas. (N. do E.)

uma China degenerada, falida – os gatos de Annie's Alley, vem o fracasso, gemidos, estrondos, a rua fica carregada da escuridão. Céu azul no alto, com estrelas suspensas muito acima sobre velhos telhados de hotel e exaustores expelindo a imundície do interior dos hotéis, a sujeira dentro das palavras em bocas que perdem dente por dente, as salas de leitura, tique-taque do relógio enorme com cadeira de encosto reclinado que range, velhos rostos encarando por cima de óculos sem aro comprados em alguma casa de penhor de West Virginia ou da Flórida ou de Liverpool, Inglaterra, muito antes de eu haver nascido, e sob a chuva eles chegaram ao fim da terra da melancolia, alegria do fim do mundo, todos vocês San Franciscos um dia terão que cair e incendiar outra vez. Mas estou caminhando, e certa noite um vagabundo caiu no buraco da obra onde estão abrindo um esgoto, de dia os vigorosos rapazes da Pacific & Eletric com jeans surrados trabalham lá, muitas vezes penso em ir falar com alguns deles, digamos que com os loiros de cabelos revoltos e camisas rasgadas, e dizer: "Vocês deveriam se candidatar a um emprego na rede ferroviária, o trabalho é muito mais fácil, não se passa o dia inteiro na rua e se ganha muito mais", mas aquele vagabundo caiu no buraco, dava para ver um de seus pés saltado para fora, e também um MG inglês conduzido por um excêntrico certa vez caiu de ré no buraco, e, quando voltei para casa depois de um longo sábado à tarde em um trem local que ia para Hollister, saindo de San Jose, quilômetros e quilômetros através de campos verdejantes de ameixas e felicidade suculenta, lá estava o MG inglês de rodas para cima, de ré dentro de uma cova, e vagabundos e tiras ao redor bem em frente à lanchonete – o problema foi o jeito que cercaram o buraco, mas ele jamais teve coragem para fazer aquilo devido ao fato de não ter dinheiro nem onde cair morto, e oh seu pai está morto, e oh sua mãe está morta, e oh sua irmã está morta, e oh a vizinhança está morta, está morta. – Mas então naquele tempo eu deitava em meu quarto nas longas tardes de sábado escutando Jumpin' George com minha garrafinha de vinho licoroso, sem nenhum baseado, sob os lençóis, e ria ouvindo a louca música "Mama, he treats your daughter mean", Mama, Papa, e não me apareça aqui senão te mato etc., fazendo a cabeça sozinho na obscuridade do quarto, e toda a maravilha de compreender o negro, o americano essencial lá fora, encontrando seu conforto e seu significado na rua felaínica e não na moralidade abstrata, e mesmo quando ele tem uma igreja você vê o pastor na entrada se curvando para as senhoras e, ao fazê-lo, ouve seu vozeirão vibrante se espalhando pelas calçadas ensolaradas da tarde de domingo repleto de vibratos sexuais dizendo: "Sim, minha senhora, mas o evangelho diz que o homem nasceu do útero da mulher –", e é isso aí, e a essa altura rastejo para fora do meu aconchegante saco de dormir e vou para a rua quando percebo que a ferrovia só me chamará às cinco da manhã de domingo, provavelmente para um trem local que parte de Bayshore, na verdade é sempre para o trem local que parte de Bayshore, e vou ao mais lamuriento de todos os loucos bares deste mundo, o primeiro e o único da Third com a Howard, entro e bebo com os malucos e se é para me embebedar, me embebedo mesmo.

A puta chegou em mim na noite em que eu estava lá com Al Buckle e perguntou: "Quer curtir alguma comigo esta noite, Jim e...?", eu não achei que tivesse dinheiro suficiente e mais tarde contei tudo para Charley Low, ele riu e disse: "Como você sabe que ela queria dinheiro? Sempre aposte na possibilidade de ela estar apenas a fim de amor, ou apenas sem amor, você sabe o que eu quero dizer, homem, não seja trouxa". Era uma boneca bonitinha e perguntou: "Gostaria de fazer uma sacanagenzinha comigo, meu bem?", e fiquei parado ali como um palerma, daí comprei umas bebidas, bebi e me embebedei naquela noite, e no Club 299 levei porrada do proprietário, a banda acabou com a briga antes que eu pudesse decidir se também daria umas porradas, o que não fiz, e na rua tentei entrar de novo, mas trancaram a porta e ficaram me encarando pelo vidro da porta proibida com aquelas caras submarinas – eu devia ter curtido com ela, shurrouruuruuruuruuruuruurkdiei.

APESAR DE SER UM GUARDA-FREIOS faturando seiscentos por mês, continuei indo ao restaurante da Howard Street onde três ovos custavam 26 centavos, dois ovos custavam 21, com uma torrada (quase sem manteiga), café (quase sem café e açúcar racionado), mingau de aveia com um pingo de leite e açúcar, o fedor rançoso de camisas velhas pairando acima da panela como se estivessem fazendo ensopados de lenhador em antigas e bolorentas lavanderias chinesas de San Francisco, com rodas de pôquer nos fundos entre as barricas e ratos do tempo do terremoto, mas na verdade a comida era mais ou menos como a dos campos de lenhadores do Norte longínquo dos idos de 1890 ou 1910, com um chinês de rabicho dos velhos tempos cozinhando e amaldiçoando os que não gostavam. Os preços eram inacreditáveis, mas uma vez comi um ensopado de carne que foi absolutamente o pior ensopado que já comi, foi incrível, posso garantir – e como serviam aquilo muitas vezes para mim, foi com a mais profunda mágoa que tentei explicar ao sujeito que ficava atrás do balcão o que eu queria, mas ele era um filho-da-puta valentão, opa, ai-ai, acho até que era meio veado e tratava os bêbados desgraçados com a maior grosseria: "O que você está fazendo, acha que pode entrar aqui e se comportar desse jeito? Pelo amor de Deus, aja como um homem, coma ou caia fo-o-o-o-ra!" – Sempre me perguntei o que um sujeito daqueles fazia em um lugar assim, mas poxa, bem que ele poderia ter alguma pena naquele coração de pedra por aqueles pobres-diabos, em toda a rua tinha restaurantes parecidos, freqüentados exclusivamente por negros vagabundos, bêbados sem tostão, que encontravam 21 centavos que haviam sobrevivido às bebedeiras e entravam aos tropeções para o terceiro ou quarto prato de comida da semana, às vezes sequer tinham comido a semana inteira, e você podia vê-los na esquina vomitando um líquido branco, uns dois litros de sauternes azedo da pior qualidade ou xerez branco doce, e não tinham nada sólido no estômago, muitos eram pernetas ou andavam com muletas e tinham curativos nos pés, do envenenamento simultâneo com nicotina e álcool, e certa vez, subindo a Third nas proximidades da Market, do outro lado da Breens, no início de 1952, quando eu morava em Russian Hill e ainda não tinha sacado bem o completo horror e humor da Third Street das ferrovias, um vagabundo, um vagabundozinho magro e doentio como Anton Abraham, estava caído de bruços na calçada com a muleta ao lado e uns velhos restos de jornal sob o corpo, e parecia morto. Olhei de perto para ver se ele estava respirando e ele não estava, outro homem olhou também junto comigo, e ambos achamos que ele estava morto, e pouco depois chegou um tira e concordou e chamou a ambulância, o pobrezinho pesava uns 25 quilos no fim das contas, nariz ranhento, duro como um bacalhau seco, mortinho da silva – ah eis o que tenho a contar – e era impossível deixar de notar que por ali havia inúmeros outros vagabundos mortos semimortos, vagabundos, vagabundos, vagabundos, mortos, mortos, vezes, vezes e mais vezes, todos mortos, vagabundos mortos para sempre sem nada, todos arruinados e liquidados – ali. – E era essa a clientela do restaurante Public Hair*, onde durante incontáveis manhãs tomei meu desjejum de três ovos com torrada quase seca e mingau de aveia, uma porçãozinha dele, e café fraco feito com água de lavar prato, tudo para poupar 14 centavos, de modo que pudesse orgulhosamente anotar as despesas no meu caderno e provar que podia viver confortavelmente na América trabalhando sete dias por semana e ganhando seiscentos por mês, podia viver com menos de 17 por semana, o que, somado com o meu aluguel de 4,20, estava bem, pois também tinha que gastar dinheiro para comer e dormir algumas vezes do outro lado da minha linha de Watsonville, mas a maior parte das vezes preferia dormir de graça e desconfortavelmente em vagões piolhentos – meu café-da-manhã de 26 centavos, meu orgulho. – E aquele inacreditável balconista semiveado que servia a comida, que a atirava em você, batia com os pratos na mesa, tinha um olhar lânguido e franco que focava direto em seus olhos como uma garçonete heroína de Steinbeck nos anos 30, e junto à grelha um chinês estropiado trabalhava com frieza, com uma meia de verdade enfiada na cabeça, como se recém o tivessem arrancado na marra das calçadas da Commercial Street antes que o edifício Ferry estivesse pronto, só que esqueceram que era 1952 e sonharam que era a Frisco da corrida do ouro de 1860 – e nos dias chuvosos você ficava com a impressão de que tinham barcos na sala dos fundos.

EU CAMINHAVA HARRISON ACIMA em meio ao ruído do tráfego dos caminhões que avançavam em direção às vigorosas vigas da ponte de Oakland Bay, que

* Cabelo público, literalmente. (N. do E.)

podiam ser vistas depois de se subir a Harrison Hill, parecidas com um radar da eternidade no céu, enormes, no azul, atravessadas por nuvens puras, gaivotas, carros imbecis rodando céleres para seus destinos, em seu rugir silencioso cruzando as águas agitadas pelos ventos, por notícias de tempestades em San Rafael e por barcos velozes. – Bem ali, oh, sempre ia, caminhava e percorria Friscos inteiras em uma única tarde desde as colinas com vistas para a alta Fillmore, onde se pode ver todos os navios que zarpam para o Oriente em manhãs sonolentas de domingo de pura curtição em salas de bilhar como depois de uma noite inteira tocando bateria em uma *jam session* e de uma manhã na sala dos tacos, eu cruzava pelas casas ricas de velhas damas amparadas por filhas ou secretárias, casas com imensas e horrorosas gárgulas nas fachadas de outras épocas de San Francisco e logo abaixo a passagem azul da Gate, a louca rocha de Alcatraz, as bocas de Tamalpais, San Pablo Bay, Sausalito contornando sonolenta o rochedo e as árvores lá longe, e os belos barcos brancos singrando as águas com seu rastro revolto em direção a Sasebo. – Harrison acima e colina abaixo para a Embarcadero, em torno de Telegraph Hill, pelas encostas de Russian Hill acima, pelas ruas fervilhantes de Chinatown abaixo, pela Kearney abaixo e de volta pela Market até a Third para meu destino na longa e louca noite faiscante de neon, ah, e então finalmente ao raiar de um domingo eles me chamaram, as vigas imensas de Oakland Bay ainda me perseguindo e aquela eternidade toda, grande demais para engolir e simplesmente sem saber quem sou, mas como um bebê grandão e rechonchudo com longos cabelos andando no escuro, tentando lembrar quem sou, e aí batem na porta, é o recepcionista da espelunca onde durmo, com óculos de aro de prata, cabelo branco, roupa limpa e barrigão doentio dizendo que era de Rocky Mount, e parecia que sim, ele tinha sido recepcionista do hotel da Nash Buncome Association ali embaixo durante 50 verões sucessivos calorentos e sem sol, e apenas as palmeiras do saguão com suportes para charutos nos álbuns do Sul, e ele com sua querida mãe aguardando em uma cabana de troncos soterrada entre sepulturas com todo este passado historiado esmagado no chão junto com a mancha do urso, o sangue da árvore e milharais lavrados há muito, e negros cujas vozes há muito silenciaram em meio à floresta, e o cão ladrou pela última vez, este também homem viajara para a Costa Oeste como todos os outros elementos perdidos americanos, era pálido, sexagenário e se queixava da doença, certa vez talvez tenha sido um elegante acompanhante de mulheres cheias da grana, mas agora era um recepcionista esquecido e talvez tivesse passado algum tempo na cadeia por certas falsificações ou vigarices inofensivas, também poderia ter sido escriturário da rede ferroviária, poderia ter chorado e provavelmente jamais tinha se dado bem na vida, e naquele dia eu diria que ele via os arcos da ponte sobre a colina com o trânsito da Harrison assim como eu, e também acordava pela manhã com a mesma sensação de estar perdido, é ele que está batendo agora na minha porta e desaba com o mundo sobre mim, e está parado no tapete puído do corredor gasto pelos passos sombrios de velhos encovados nos últimos 40 anos desde o terremoto, e o banheiro manchado, além da última pia, do último fedor e da última sujeira, imagino que sim, que é o fim do mundo, o maldito fim do mundo, por isso batem na minha porta, eu acordo e pergunto: "Qual é, ma que sacanagi tão fazendo que num me deixam drumi? Pur que batem? Mandi imbora essa coisa que ronda minha porta na boca da noite, e tudo mundo sabe que num tenho mãe, nem irmã, nem pai, nem berço". Acordo, sento e pergunto: "Quem é?", e ele responde: "Telefone!", e tenho que enfiar meus jeans pesados por causa do canivete e da carteira, olho de perto para meu relógio de ferroviário pendurado na fechadura da portinhola do guarda-roupa voltado para mim, tique-taqueando o tempo silenciosamente, ele marca 4h30 da manhã de domingo, deslizo pelo tapete do corredor da espelunca só de calças e sem camisa, e sim, com as abas da camisa penduradas, a camisa de trabalho cinzenta, pego o telefone na escrivaninha noturna sonolenta com escaninho, escarradeiras, chaves penduradas e velhas toalhas empilhadas, limpas mas desfiadas nas bainhas e com os nomes de todos os hotéis de antigamente, no telefone está o chefe do pessoal da rede ferroviária: "Kerroway?" "Sim." "Kerroway, esta manhã vai ser com o Sherman no local das 7 horas." "Sherman, local, certo." "Parte de Bayshore, sabe o caminho?" "Sei." "No domingo passado você também pegou esse mesmo trabalho – Ok, Keroway-y-y-y." Desligamos no mesmo instante, e eu disse para mim mesmo, bem, é outra vez com o maldito velho maluco, ranzinza e esclerosado Sherman de Bayshore que tanto me detesta, especialmente quando estamos no entroncamento de Redwood estacionando os vagões, e ele sempre insiste para que eu trabalhe na parte de trás dos vagões, como se, mesmo tendo um ano de prática, fosse fácil para mim acompanhar, mas trabalho na traseira, e ele quer que eu permaneça exatamente ali com uma tora de madeira na mão para que, quando um vagão ou um grupo de vagões forem empurrados, sejam freados pela tora e não despenquem colina abaixo e desencadeiem uma catástrofe, oh, talvez algum dia eu aprenda a gostar da linha férrea, e Sherman goste de mim um dia, e de qualquer maneira mais um dia, mais um dólar.

E ali está meu quarto minúsculo, cinzento na manhã de domingo, agora toda a zoeira da rua e da noite anterior se foi, os vagabundos dormem, talvez um ou dois estejam esparramados na calçada com um garoto pobre na soleira – minha cabeça fervilha de vida.

ASSIM, AQUI ESTOU EU AO ROMPER DO DIA em minha cela sombria – faltam 2 1/2 horas para enfiar o relógio de ferroviário no bolso dos meus jeans e saltar fora, tendo exatamente oito minutos para chegar até a estação e ao trem nº 112 das 7h15, que devo pegar para a viagem de oito quilômetros até Bayshore, cruzando quatro túneis, emergindo do cenário triste de Frisco, de melancolia insidiosa na manhã nublada e boca chuvosa, para um vale inesperado com colinas escuras mergulhando no mar, a baía à esquerda, o nevoeiro rolando demencialmente nas depressões com pequenos chalés brancos parados à espera das tristes luzes azuis do próximo Natal – minha alma inteira e os olhos concomitantes encarando essa realidade de vida e trabalho em San Francisco com aquele agradável calafrio semilocalizado no baixo ventre, energia sexual transformada em dor nos portais do trabalho e da cultura e do temor natural ao nevoeiro. – Cá estou no meu quartinho perguntando a mim mesmo como conseguirei me enganar que as próximas 2 1/2 horas serão bem preenchidas, alimentadas com pensamentos agradáveis e trabalho. – É tão emocionante sentir o frio da manhã envolvendo meus grossos cobertores enquanto estou deitado com o relógio me encarando a tiquetaquear, as pernas estiradas nos confortáveis e macios lençóis da espelunca com suaves rasgões ou serzidos, aninhado em minha própria pele, rico, sem gastar nenhum centavo – olho para meu caderninho de notas – e encaro as palavras da Bíblia. – No chão encontro a última página esportiva do *Chronicle* da tarde rubra de sábado com notícias dos jogos de futebol americano da Grande América, cuja ponta desoladamente vejo sob a luz cinzenta que penetra no quarto. – O fato de Frisco ser construída em madeira me satisfaz em minha paz, sei que ninguém vai me incomodar nas próximas 2 1/2 horas e que todos os vagabundos estão adormecidos em suas próprias camas da eternidade, acordados ou não, com garrafas ou não – o que conta para mim é a satisfação que sinto. – No chão estão meus sapatos, grandes e grossas botinas de lenhador para caminhar sobre as pedras da linha férrea sem torcer o tornozelo – sólidos sapatos, quando você os calça, você sabe que agora está trabalhando e, por essa razão, são sapatos que não devem ser usados de forma alguma em curtições noturnas pelos restaurantes ou shows. – Na noite anterior as botinas estavam no chão ao lado de sapatos caindo aos pedaços, um par em lona azul estilo 1952, com eles tinha caminhado leve como um fantasma pelas íngremes e esburacadas calçadas da Ah Minha Frisco na noite cintilante, em dado momento do alto de Russian Hill eu olhei para baixo para todos os telhados de North Beach e para os neons dos nightclubs mexicanos, desci até eles pelos velhos degraus da Broadway sob a qual recentemente tinham aberto um túnel na montanha – sapatos ideais para as proximidades da água, embarcadouros, encosta e terrenos gramados de parques e vistas lindas. – Sapatos de trabalho recobertos de poeira e óleo das máquinas – jeans amassados jogados por ali, cinto, lenço azul de ferroviário, canivete, pente, chaves, chaves das agulhas de desvio e chaves do vagão do pessoal, joelhos encardidos pela poeira fina de Pajaro Riverbottom, o traseiro preto pelas caixas de areia oleosa da estação – os calções de trabalho cinzentos, a camiseta suja, tristes cuecas, torturadas meias da minha vida. – E a Bíblia na escrivaninha, ao lado da manteiga de amendoim, da alface, do pão de uva passa, as rachaduras no reboco, as cortinas rendadas duras de pó antigo, agora não mais corrediças, mas rijas – depois de todos aqueles anos da dura eternidade do pó naquela espelunca de Cameo com os olhos inflamados de velhos remelentos que ali morriam encarando sem esperança a parede morta, já quase não se pode ver através da sujeira da janela, e tudo que se podia ouvir ultimamente pelo poço que vai até o telhado eram os gritos de uma criança chinesa cujo pai e mãe estão sempre mandando que se cale e depois gritando com ele, o garoto era uma peste, e suas lágrimas da China eram das mais persistentes e universais e representavam todos os nossos sentimentos na arruinada Cameo, embora nenhum vagabundo o admitisse a não ser com o pigarrear ocasional arranhando a garganta nos corredores ou com o gemido durante um pesadelo – por coisas desse tipo e pela negligência de uma camareira bêbada de olhos duros, antiga corista, as cortinas tinham absorvido todo o ferro que podiam e pendiam duras, e até o pó nelas acumulado era ferro, se você as sacudisse, estalariam e cairiam no chão aos pedaços, soariam e bateriam como asas de ferro, e a poeira voaria para o seu nariz como limalha de aço e o sufocaria até a morte, por isso eu jamais as tocava. Meu quartinho na confortável madrugada às seis (às 4h30) e diante de mim todo o tempo do mundo, o tempo de olhos renovados para um gole de café, ferver água na minha chapa de aquecimento, colocar o café, mexer, estilo francês, servir lenta e cuidadosamente na minha caneca branca de alumínio, pôr o açúcar (não açúcar de beterraba da Califórnia como eu deveria estar usando, mas açúcar de cana de New Orleans, porque beterraba eu carregava de Oakland para Watsonville muitas vezes, um trem com 80 vagões, nada além de vagões abertos carregados com tristes beterrabas que pareciam cabeças de mulheres decapitadas). – Ai de mim, mas aquilo era um inferno e agora eu tinha tudo isso só para mim, fazendo minha torrada de pão de uva passa, colocando as fatias sobre um arame que dobrava especialmente para colocar sobre a chapa, a torrada estalava, pronto, eu espalhava margarina na torrada ainda quente e vermelha, e a margarina borbulhava e se derretia em ouro entre passas queimadas, e assim era minha torrada. – Então dois ovos suave e lentamente fritos em margarina tenra na minha frigideirinha de espelunca, com mais ou menos a metade da espessura de uma moeda de dez centavos, na verdade menos do que isso, um pedacinho minúsculo de alumínio que se podia levar em uma caminhada pela mata – os ovos ficavam fofos lentamente e inchavam em vapores amanteigados, eu colocava sal de alho, e quando estavam prontos a gema ficava coberta por uma fina camada branca cozida por causa da tampa de alumínio que eu colocava em cima da frigideira, agora estavam prontos mesmo, eu os tirava, espalhava-os por cima das batatas já preparadas que tinham sido cozidas em pedacinhos e depois misturadas com o bacon picadinho que eu já tinha fritado, uma espécie de purê grosso de batatas com bacon, com ovos fumegantes por cima, e ao lado alface e um pouquinho de manteiga de amendoim. – Eu tinha ouvido falar que a manteiga de amendoim e a alface tinham todas as vitaminas de que você necessita, isso depois de eu já ter originalmente começado a comer essa mistura por causa da delícia e da nostalgia do sabor – meu desjejum pronto por volta das 6h45, e enquanto como já vou me vestindo peça por peça, e quando o último prato é lavado na pequena pia sob a torneira de água fervente engulo o último gole apressado de café e enxáguo rapidamente a xícara na água quente, e a seco correndo e a recoloco em seu lugar ao lado da chapa de aquecimento e da caixa de papelão onde guardo todos os gêneros alimentícios bem embrulhados em papel pardo, já estou tirando minha lanterna de guarda-freios do lugar onde estava pendurada, na maçaneta da porta, e minha velha tabela de horários já há muito que estava dobrada no bolso de trás das calças, pronta para ser levada, tudo arrumado, chaves, escala de horário, lanterna, canivete, lenço, carteira, pente, chaves da ferrovia, moedas e eu. Apago a luz do triste traste tresloucado que era meu pequeno esconderijo e me apresso rumo à confusão do fluxo, despenco pelos degraus rangentes do corredor onde os velhos ainda não estão sentados com seus jornais dominicais porque estão dormindo, mas alguns, posso ouvi-los agora enquanto saio, estão começando a se preparar para acordar em seus quartos com gemidos, grunhidos, coceiras e ruídos horrorosos, desço a escada para ir trabalhar, dou uma olhada rápida para conferir as horas do meu relógio com as do cuco do cubículo do recepcionista. – Dois ou três veteranos valentes já estão sentados na recepção sombria e marrom sob o relógio, desdentados, ou soturnos, ou com bigodes elegantes – que pensamentos será que giram dentro deles quando olham para o jovem vagabundo e esperto guarda-freios correndo para seus trinta dólares de domingo – que recordações dos velhos lares construídos sem simpatia, o duro destino os condenou a perderem mulheres, filhos, luas – bibliotecas ruíram no tempo deles – veteranos da Frisco de madeira e do telégrafo no nevoeiro cinzento pairando permanentemente no seu mar marrom naufragado, e estarão ali de tarde, quando, com o meu rosto corado do sol, que às oito flamejará e nos banhará em Redwood, ainda estarão ali com a cor pastosa no esverdeado mundo subterrâneo e lendo ainda outra vez o mesmo editorial e sem entender onde eu estive ou para quê. – Tenho que sair daqui para não sufocar, sair da Third Street, ou me transformarei em um verme, é bom morar lá e beber e dormir e ouvir rádio e fazer pequenos desjejuns e descansar, mas oh agora tenho que ir para o trabalho, desço rapidamente a Third até a Townsend para meu trem das 7h15 – faltam três minutos, em pânico começo a correr, maldição, essa manhã não me dei tempo suficiente, me apresso sob a rampa da Harrison até a ponte de Oakland Bay, passo pelo Schweibacker-Frey, o grande neon vermelho pálido da tipografia sempre luzindo espectralmente, ali vejo meu falecido pai, que era tipógrafo, corro e me apresso cruzando pelas mercearias decadentes dos negros onde sempre compro minha manteiga de amendoim e pão de passas de uva, pelo beco de tijolo da ferrovia, agora enevoado e úmido, atravesso a Townsend, o trem vai partir!

INSENSATOS FERROVIÁRIOS, o condutor, o velho John J. Coppertwang, 35 anos de puro serviço na velha S.P., está lá na manhã cinzenta de domingo olhando para seu relógio de ouro, parado junto à máquina, gritando bobagens para o velho maquinista Jones e para o jovem foguista Smith, que, com seu boné de beisebol, está sentado no lugar do foguista ruminando um sanduíche – "O que acharam do velho Johnny ontem, acho que ele não marcou tantos pontos quanto imaginávamos". "Smith apostou seis dólares lá na agência de Watsonville e disse que ia descolar 34." "Também dei uma chegada nessa agência –." Tinham passado nas agências de aposta da vida matando o tempo, longas noites de pôquer nas casas de madeira escura da linha férrea, você pode sentir na madeira o cheiro do charuto mastigado, a escarradeira está ali há mais de 750.099 anos, o cão entra e sai, e velhos rapazes se reclinaram resmungando sob a luz mortiça e acastanhada, e jovens rapazes também, com seus uniformes novos de guarda-freios dos trens de passageiros, o nó da gravata desfeito, o casaco jogado nas costas, o luminoso sorriso juvenil de ferroviários felizes, fátuos, bem-alimentados, bem empregados, fazendo carreira, futuros pensionistas hospitalizados e cuidados. – 35, 40 anos assim, e chegam a condutores, e durante anos foram chamados no meio da noite pelo chefe do pessoal aos gritos: "Cassady? É a semana dos trens locais e arranjei uns horariozinhos especiais para você", mas agora que envelheceram, tudo o que têm é uma ocupação fixa, um trem fixo, o condutor do 112 com relógio de ouro está soltando piadinhas para todos os cachorros loucos, inflamáveis, demoníacos Willis maquinistas, uau, o sujeito mais audacioso desse lado da França e frankincense, era conhecido por ter conduzido sua locomotiva ladeira acima... 7h15, hora de partir, corro pela estação ouvindo o sino tocar e o vapor assobiando, eles estão partindo, oh, vôo pela plataforma e esqueço momentaneamente ou talvez nunca tenha sabido qual a linha que devo tomar e rodopio confuso por um instante pensando qual linha e não consigo ver trem algum, e é nesses instantes que desperdiço cinco, seis, sete segundos, que o trem, embora já em movimento, está apenas começando a soltar vapor devagar, e até um gordo ferroviário poderia facilmente dar uma corrida e apanhar o trem, mas enquanto grito para o subchefe da estação: "Onde está o 112?", e ele responde que está na última linha, que é a linha que jamais sonhei que pudesse ser, corro para lá o mais rápido que posso, driblo as pessoas como um atacante do Columbia e irrompo nos trilhos rápido como quem se livra da marcação, quando você carrega a bola consigo para a esquerda, faz finta com o pescoço e a cabeça e avança com a bola como se você fosse se arremessar e sair voando à esquerda, e todo mundo psicologicamente segue esbaforido com você naquela direção, e de repente você se contrai e, como uma baforada de fumaça, você se mete por entre os adversários que tentam agarrar você, jogada de desvio, você voa pela brecha quase antes que você mesmo perceba, e lá estou eu voando para os trilhos, e lá está o trem a uns trinta metros de distância, no exato instante em que olho ele começa a ganhar uma tremenda velocidade, velocidade que eu poderia ter acompanhado se tivesse olhado um segundo antes – mas corro, sei que posso apanhar ele. Em pé na plataforma traseira estão o guarda-freios da traseira e um velho condutor lerdo, o velho Charley W. Jones, um sujeito que teve sete esposas e seis filhos e uma falta em Lick, não, acho que foi em Coyote, ele não conseguia enxergar por causa do vapor, e sai, e sua lanterna depara com a forma de iglu da válvula de escape do meu precursor, e deram a ele quinze benefícios, de modo que agora ali estava ele na manhã de domingo ha-ha-ulalá, e ele e o jovem guarda-freios da traseira observam incrédulos o aprendiz de guarda-freios correndo como um atleta louco atrás do trem que parte. Me deu vontade de gritar: "Façam o teste do ar, façam o teste do ar agora!", pois sabia que, quando um trem de passageiros parte, mais ou menos na altura do primeiro cruzamento a leste da estação, o maquinista sinaliza e deixa escapar um pouco de ar para experimentar os freios, e isso reduz momentaneamente a velocidade, o que me permitiria apanhar o trem, mas não fizeram o teste de ar os bastardos, e agora sei que terei que correr como um filho-da-puta. Mas de repente me sinto pouco à vontade pensando no que todos os demais vão dizer ao verem um homem correr alucinadamente rápido com todas as suas forças, em um pique feroz como Jesse Owens*, só para apanhar um maldito trem, e todos eles histéricos a se

* Jesse Owens: atleta negro norte-americano (1913-1980), foi uma das estrelas das Olimpíadas de Berlim em 1936, ganhando quatro medalhas de ouro, nos 100 e 200 metros, revezamento 4x4 e salto em distância. (N. do T.)

perguntar se morrerei ao atingir a plataforma traseira, e blam, caio estatelado e inerte no cruzamento, de modo que, quando o trem acabar de passar, o velho com a bandeira verá que tudo jaz no solo na mesma confusão, todos nós anjos morreremos e nem sequer sabemos como nem conhecemos nosso próprio diamante, oh, que os céus nos iluminem e abram nossos olhos – abram nossos olhos, abram nossos olhos. – Sei que não vou me machucar, confio nos meus sapatos, na força de minhas mãos e pés, na solidez de minhas garras para agarrar e no meu vigor, e não preciso de nenhuma força mística para avaliar a musculatura de minha caixa torácica – mas, com os diabos, é socialmente muito constrangedor ser apanhado correndo como um maníaco atrás de um trem, ainda mais com dois sujeitos embasbacados na traseira do comboio, sacudindo a cabeça e gritando que não vou conseguir, mesmo comigo correndo friamente atrás deles de olhos abertos tentando informar que posso conseguir e que eles não devem ficar histéricos nem rir, mas então percebo que aquilo tudo é demais para mim, não a corrida, não a velocidade do trem, que, de qualquer modo, dois segundos depois de eu desistir da complicada perseguição, de fato diminuiu no cruzamento para o teste de ar antes de acelerar definitivamente em direção a Bayshore Highway. Por isso cheguei tarde ao trabalho, e o velho Sherman me odiou e ainda haveria de me odiar mais.

A TERRA QUE EU TERIA COMIDO em solidão, *cronch* – a terra das ferrovias, as longas extensões planas de Bayshore que tive que percorrer para atingir o maldito vagão do pessoal de Sherman na linha 17, pronto para partir com a locomotiva voltada para Redwood e três horas de trabalho matinal. – Salto do ônibus na Bayshore Highway, corro pela ruazinha abaixo e entro direto –

rapazes dirigindo uma locomotiva de manobras no pátio passam por mim gritando dos estribos: "Vamos lá, vem com a gente", do contrário eu teria chegado três minutos ainda mais atrasado ao serviço, mas agora salto para a pequena locomotiva que reduz a velocidade momentaneamente para me apanhar e que avança só, sem rebocar nada, os rapazes tinham ido até o outro lado do pátio de manobras para um serviço qualquer. – Aquele garoto terá que aprender a se virar sozinho sem ninguém para ajudá-lo, assim como muitas vezes vi aqueles cabritinhos achando que estão com tudo mas o plano já era, a palavra terá que esperar, o enorme ladrão arbóreo carregando o crime da espécie, e o ar e todas as espécies de espíritos malignos – FERRAdos! tornados impressionantes pela ostentação de tudo que é crime e falcatruas de todas as espécies – San Franciscos e Bayshores encobertas, as últimas e as últimas excrescências da forçosa trama, manto, trabalho primordial e magistral, sacolejos oleosos, e você não o faria? – A terra das ferrovias que eu teria comido sozinho, *cronch*, a pé e cabisbaixo para ir até Sherman, que observa o relógio com olhos meticulosos para dar o sinal de partida, é domingo, não há tempo a perder, o único dia da sua longa semana de sete dias de trabalho em que ele tem a chance de descansar um pouquinho em casa quando "Oh Cristo", quando: "Digam praquele filho-da-puta daquele aprendiz que isso aqui não é nenhum maldito piquenique, essa merda aqui, digam alguma coisa para ele, e como você, o que diabos você espera para entrar nos eixos, de qualquer forma você está em uma bela encrenca, estamos ATRASADOS", e é assim que sou recebido, quando chego atrasado e correndo. O velho Sherman está sentado, amontoado sobre as listas de mudanças das vias, quando me vê, diz com gélidos olhos azuis: "Você sabe que deveria estar aqui às 7h30, não sabe, então por que diabos chega aqui às 7h50, você está vinte malditos minutos atrasado, que porra você está pensando, acha que está de aniversário?", e se levanta e se debruça na plataforma traseira e dá o sinal para os maquinistas lá na frente, e temos um comboio com cerca de doze vagões, e eles dizem devagar, e partimos lentamente no começo, ganhando velocidade aos poucos; "Acende esse maldito fogo", diz Sherman, ele está usando sapatos de trabalho novinhos em folha, comprados ontem, e reparo no seu macacão limpo, que a esposa lavou e colocou na cadeira dele provavelmente naquela manhã, e vou correndo jogar carvão na fornalha, acendo um grande fósforo ferroviário e dois grandes fósforos ferroviários, e o fogo pega. Ah, 4 de julho, quando os anjos sorririam no horizonte e todas as vias onde os loucos estão perdidos nos serão para sempre devolvidas desde Lowell, da plenitude da minha alma e a única esperança meditada no céu de minhas preces e anjos e é claro o sono e o olho interessado de imagens e, mas só agora detectamos o palerma que faltava, lá está o pobre-diabo da retaguarda, nem sequer está no trem ainda, e Sherman olha mal-humorado pela porta de trás e vê o cara da retaguarda acenando a uns quinze metros de distância para que parem o trem e esperem por ele, e, sendo um velho ferroviário, certamente não vai correr nem sequer acelerar o passo, isso está claro, Sherman, o condutor, tem que se levantar de seu assento, soltar o ar e parar o maldito trem para o homem da traseira, Arkansaw Charley, que vê isso e apenas saltita dentro do macacão folgado despreocupadamente, então ele também estava atrasado, ou pelo menos tinha ficado de conversa fiada no escritório da estação enquanto esperavam pelo estúpido guarda-freios da frente, o insignificante que está diante do presumível manda-chuva. "A primeira coisa que faremos é pegar um vagão na frente em Redwood, de modo que tudo o que você tem a fazer é saltar no cruzamento e ficar para trás para sinalizar, mas não muito longe." "Não trabalho na frente?" "Trabalha na traseira, não temos quase nada para fazer e quero que seja feito rápido", rosna o condutor. "Fique frio, faça o que dissermos, olhe e sinalize." É uma manhã tranqüila de domingo na Califórnia e lá vamos nós, tchaca-tchica, tchu-tchu, saímos do pátio de manobras de Bayshore, paramos por uns instantes na linha principal esperando o sinal verde, o velho 71 ou o velho o que quer que seja acaba de passar pela outra via, e agora lá vamos nós, avançamos subindo por vales arborizados e reentrâncias da cidade, cruzamentos das ruas principais, estacionamentos, terrenos anexos e Stanford, montes do mundo – para nosso destino no Pooh, que já posso ver, e, para matar o tempo, aqui estou eu na fornalha e dou uma olhada nas últimas notícias da primeira página do jornal e também tomo nota do dinheiro que já gastei nesse dia, no domingo não gasto coisíssima nenhuma – a Califórnia passa por nós, e observamos toda a baía se desenrolar com olhos tristes, e o papo diminui gradualmente até se acalmar, e então o vale Santa Clara e bobagens e atrás está a neblina imemorial enquanto a névoa se torna cerrada e nós voamos em direção ao sol luminoso do *sabbath* californiano.

Em Redwood desço e paro nos tristes dormentes sujos de óleo da terra das rotas ferrovias com bandeira vermelha e foguetes e fósforos de ferroviário no bolso de trás, a tabela de horário amassada por eles, tiro o casaco quente, arregaço as mangas da camisa e lá está a varanda de uma casa de negros, os irmãos sentados com camisas de manga curta conversando, fumando e rindo, a filha pequena caminha entre as ervas do jardim com seu balde de brinquedo e suas tranças, e nós homens da ferrovia, com nossa suave sinalização e sem um único som, colhemos nossa flor, de acordo com alguma maldita ordem qualquer que durante uma vida inteira de atenções o velho condutor operário industrial prostituído Sherman leu cuidadosamente para não cometer nenhum erro:

"Manhã de domingo, 15 de outubro, apanhar o vagão de flores em Redwood, expedidor M.M.S.".

COLOQUEI UM CALÇO DE MADEIRA sob as rodas do vagão e observei-o gemer e estalar enquanto o vagão subia aos poucos sobre ele, parava, e às vezes simplesmente não parava, apenas seguia em frente deixando a madeira esmagada na altura dos trilhos com pontas retorcidas e estraçalhadas. – Nas tardes em Lowell há muito tempo, eu me perguntava o que faziam aqueles homens sujos em grandes vagões fechados e com calços de madeira nas mãos, e, quando muito acima das rampas e telhados do imenso armazém cinzento da eternidade eu vislumbrava as nuvens imortais do canal dos tempos dos tijolos vermelhos, a sonolência tão pesada sob a cidade de julho pairava até sob a penumbra úmida da loja do meu pai, do lado de fora, onde ele mantinha suas vagonetas imensas com rodinhas, as plataformas planas prateadas e sucata pelos cantos e tábuas, a tinta impregnada tão fundo na madeira oleosa como se um rio negro a houvesse incrustado ali para sempre, contrastante com os flocos de nuvens brancas cremosas que se podia ver da porta da varanda empoeirada acima da velha Lowell Dickens de 1830, de tijolos à vista, flutuando como em um velho cartaz com desenhos de passarinhos também em revoada, todo o mistério do cinzento daguerreótipo no esperma das águas revoltas do canal. – Assim da mesma forma as tardes no beco de tijolos vermelhos da S.P., recordando meu espanto ao observar o movimento lento, pesado e rangente dos gigantescos vagões fechados, vagões-plataforma e vagões abertos que avançavam levantando aquela sufocante poeira de aço, o ruído de aço sobre aço, o estremecimento daquele troço inteiramente de aço, um vagão seguindo em frente com o freio puxado e toda essa transação – *monstre empoudrement de fer en enfer*, as aterradoras noites de nevoeiro da Califórnia, quando se podem ver esses monstros passando lentamente através da névoa e escutar o piuíí-piuíí estridente, as rodas implacáveis a respeito das quais o condutor Ray Miles disse certa vez em uma das minhas viagens de aprendiz: "Quando essas rodas passam por cima da sua perna, elas não dão a mínima para você", o mesmo se dá com a madeira que eu sacrifico. – O que aqueles homens encardidos estavam fazendo, alguns deles em pé sobre os vagões sinalizando ao longe pelos becos de tijolos à vista de Lowell, e alguns velhos caminhando lentamente como vagabundos ao lado dos trilhos sem nada o que fazer, o imenso comboio de vagões guinchando com aquele cri-cri de ranger os dentes e um gigantesco aperto de aço curvando os trilhos para dentro da terra e fazendo os dormentes se moverem, agora eu sabia por trabalhar no trem local de Sherman aos domingos que a gente usava calços de madeira por causa de um declive no solo que fazia com que os vagões depois de desviados continuassem rodando, e a gente tinha que conduzir, travar e imobilizar com os calços. As lições que ali aprendi, como: "Prenda bem isso, não queremos sair correndo atrás desse filho-da-puta de volta para a cidade quando jogarmos outro vagão de encontro a ele", ok, mas estou cumprindo as normas de segurança do manual de segurança ao pé da letra, por isso aqui estou como o homem da retaguarda da composição de Sherman, soltamos nosso vagão de flores do pregador da manhã dominical e rendemos graças ao Deus do *sabbath* na escuridão, foi tudo arranjado dessa forma e conforme antigas tradições que remontam a Sutter's Mill e aos tempos em que os pioneiros fartos de ficarem a semana inteira perambulando pelo armazém de ferragens trajavam suas melhores roupas e fumavam e bocejavam em frente à igreja de madeira, e os velhos ferroviários da inconcebivelmente antiga S.P. do século 19, de outra era, de cartola e flor na lapela, tinham realizado as manobras com os poucos vagões e entrado na cidade do ouro com todas as formalidades, e a mastigação diferente, o pensamento pensado, – Eles dão o sinal e soltam um vagão, e eu corro com um calço na mão, o velho condutor grita: "É melhor travá-lo, ele está indo depressa demais, você vai conseguir apanhar ele?" "Tudo bem", e corro e diminuo o trote médio, espero, e cá está o enorme vagão assomando sobre mim, acabou de trocar para os trilhos secundários, saído da linha onde a locomotiva estava (a principal), todas as mudanças das agulhas e manobras foram feitas pelo condutor que aciona a mudança, consulta a lista, aciona a mudança – desse modo, subo os degraus da escada de mão e, conforme as regras de segurança, me agarro com uma das mãos, com a outra travo o vagão lentamente, dando uma folga, conforme manda o figurino, até chegar ao grupo de vagões desviados contra os quais meu vagão travado se choca gentilmente, zummm – vibrações, coisas chacoalham lá dentro, as mercadorias empacotadas se sacodem também, todos os vagões avançam uns trinta centímetros com o impacto e esmagam os calços de madeira colocados anteriormente, salto para o chão e coloco um calço de madeira, a aperto com cuidado sob o lábio de aço da roda monstruosa e tudo pára. Retorno para cuidar do próximo vagão desengatado, que desce pelos outros trilhos também bastante rápido, corro, apanho uma madeira no caminho, salto para a escada, travo-o, me seguro com uma das mãos seguindo as normas de segurança, esquecendo o "Trave isso direito" do condutor, que eu deveria ter aprendido na época, pois um ano depois, em Guadalupe, a centenas de quilômetros dali, travei mal três vagões-plataforma, os freios dos vagões-plataforma estão enferrujados e as correntes soltas, me agarrando precariamente com uma das mãos conforme as sábias normas de segurança para que alguma junção inesperada não me atire longe, para baixo das implacáveis rodas, cuja ação sobre os calços de madeira desfiguraria meus ossos – bam, em Guadalupe desviaram uma composição de encontro aos meus vagões-plataforma mal travados e tudo aquilo começou a avançar linha férrea abaixo na direção de San Luis Obispo, se não fosse o velho e atento condutor levantar os olhos das listas de mudança e ver o comboio e correr para fechar as agulhas da frente da composição e depois abri-las com a mesma rapidez com que os vagões chegavam, uma espécie de espetáculo circense cômico, com ele em calças folgadas de palhaço e o horror histérico saltando de agulha para agulha e os sujeitos gritando lá atrás, e a locomotiva partindo atrás da composição e a alcançando e quase a empurrando, mas com os engates se fechando no último instante e a locomotiva parando tudo a apenas nove metros do descarrilhamento total que o velho condutor esbaforido acabaria afinal impossibilitado de impedir, teríamos todos nós perdido o emprego, meus freios travados segundo as normas de segurança não tinham levado em consideração o balanço do aço e alguns leves declives no terreno... se fosse Sherman que estivesse em Guadalupe, eu seria mais uma vez o odiado Keoroowaaayy.

GUADALUPE FICA A 450 quilômetros de San Francisco pelos trilhos reluzentes da subdivisão que recebe seu nome, Guadalupe – toda a Divisão da Costa se inicia nos melancólicos becos sem saída da Third e Townsend, onde a grama cresce em canteiros de fuligem como o cabelo verde de velhos heróis de tokay* há muito inclinados no solo como os velhos ferroviários do século 19 que vi nas planícies do Colorado em minúsculas estações de trem, inclinados sobre a poeira dura seca e compacta, ressequidos, lamurientos, vomitando terra, afagados por grilos, já tão inclinados em direção ao solo, enterrados profundamente na terra como que em uma sepultura, oh, parece que eles jamais sofreram ou derramaram suor verdadeiro naquela terra lisa, jamais proferiram palavras carregadas de desgosto com aqueles lábios enegrecidos dos quais já não sai mais do que um sibilar de aro de roda de um velho Ford, como o que está zunindo nos ventos solares dessa tarde, ah espectrais Cheyeenne Wellses, comboios, Denver, rios Grandes, Northern Pacifics e Atlantic Coast Lines e Wunposts da América, tudo já desaparecido. – A Divisão da Costa da velha S.P. foi construída excessivamente ou demais, demais, e costumava percorrer uma pequena trilha tortuosa e maluca para cima e para baixo pelos montes de Bayshore como uma pista maluca de *cross-country* para corredores europeus, essa foi a via férrea do ouro assaltada pelos bandidos da antiga noite de Zorro dos telégrafos e cavaleiros com gorros de pele. – Mas agora é a moderna antiga Divisão da Costa da S.P. e se inicia naqueles becos sem saída onde, conforme eu já disse, às 4h30 os frenéticos passageiros da Market Street e da Sansome Street correm histericamente para seu 112 para chegar em casa às 5h30, para ver televisão, o *Howdy Doody* de seus filhos, um faroeste Hopalong mirim, Neal Cassadyado. Três quilômetros até a 23rd Street, mais dois até Newcomb, mais um e meio até a Paul Avenue etc., são

* Tokay: vinho licoroso húngaro. (N. do T.)

essas as paradinhas daquela corrida curta de oito quilômetros através de quatro túneis em direção à poderosa Bayshore, Bayshore no quilômetro 8,3 revela, como eu já disse, aquela gigantesca parede de vale se derramando para dentro, às vezes nos crepúsculos de invernos já desaparecidos surgem imensos nevoeiros fluindo silenciosos, vazando, se enrolando, se desdobrando como se fosse possível escutar o zumbido do radar, antiquadas máscaras sem graça do campo de batatas, Jack London, ondas antigas rolando através do cinzento e desolado Pacífico Norte como uma louca mancha, um peixe, a parede de uma cabine, antigos ornamentos das paredes de um navio naufragado, o peixe nadando entre ossos pélvicos de antigos amantes entrelaçados no fundo do mar como lesmas, impossível distinguir osso por osso, fundidos em uma lula do tempo, esse nevoeiro, esse terrível e desolado nevoeiro seattliano de campos de batatas chega trazendo notícias do Alasca e do mongol das Aleutas, e da foca, e das ondas, e da sorridente toninha, esse nevoeiro em Bayshore que se pode ver aproximando-se ondulante, enchendo os córregos, rolando e inundando as encostas de leite, e você pensa: "É a hipocrisia dos homens que torna esses montes sombrios". – À esquerda da parede da montanha de Bayshore fica toda nossa baía de San Fran apontando através do azul vasto e plano para a perplexidade de Oakland e o trem, o trem da linha principal corre e claque, claqueja cliques e faz o pequeno escritório do pátio de manobras de Bayshore se transformar em uma passagem, coisas fantasiosas muito importantes para ferroviários, o pequeno barracão amarelado dos escriturários, as ordens em papel fininho, as folgas dos condutores e as guias de mercadorias grampeadas, datilografadas e carimbadas em Kearney, Nebraska, vacas que viajam mugindo por três diferentes linhas férreas e demais acontecimentos semelhantes, tudo passa de relance e o trem avança, passa por Visitacion Tower que, para os velhos caipiras ferroviários da Califórnia-de-hoje, não está completamente mexicanizada na pronúncia, Vi Zi Ta Sion, mas é simplesmente chamada de Visitation, como no domingo pela manhã, e constantemente se escuta "Visitation Tower, Visitation Tower", ah, ah, ah, ah, aha. – Quilômetro 11,1, o seguinte é 13,8, Butler Road, que, longe de ser um mistério para mim na época em que me tornei guarda-freios, era o grande cenário triste de noites como escriturário do entreposto ferroviário, nas quais, no final de um trem de mercadorias com oitenta vagões cujos números eu anotava com a ajuda da minha pequena lanterna enquanto eu esmagava o cascalho e, completamente fatigado, calculava a distância que precisaria percorrer à luz melancólica do poste de Butler Road que reluzia adiante no final da parede de longos e negros vagões compridos da noite ferroviária de ferro vermelho-escuro – com estrelas acima, o veloz Zipper e o cheiro da fumaça de carvão da locomotiva quando me desvio e os deixo passar, e muito lá abaixo, à noite, nas imediações do aeroporto de San Fran, ao sul, você pode ver aquela luz vermelha filha-da-puta ondulando, luz de sinalização marciana, ondulando no grande vermelho escuro, marcadores subindo e descendo e emitindo chamas na puríssima pureza perdida, encantadores céus da velha Califórnia na tardia e tristonha noite de outono, primavera, inverno que chega, alto verão, como árvores. – Tudo isso, e Butler Road não tinha mistério para mim, nada de obscuro nesse lamento, era bem conhecido, eu também podia calcular quanto teria que percorrer até o fim do gigantesco letreiro de neon rosa com 9,6 quilômetros de comprimento no qual se podia imaginar que dizia WEST COAST BETHLEHEM STEEL enquanto anotava os números dos vagões de carga JC 74635

(Jersey Central), D&RG 38376, NYC e PR e todos os demais, meu trabalho estava quase concluído quando esse imenso letreiro ficava próximo de mim, e ao mesmo tempo isso significava que o pequeno poste triste de Butler Road estava a apenas quinze metros de distância e não havia vagões além dali porque era o entroncamento onde eles desviavam para a outra via, a dos entrepostos de South City, coisas significativas de freio e desvio que eu só viria a aprender mais tarde. – Portanto, quilômetro 15 de SF, e que ruazinha principal realmente desolada, oh meu bom Deus, o nevoeiro rolando, e os pequenos neons, coquetéis com uma cerejinha no palito, *Chronicles* gelados, nevoentos e verdes em máquinas de metal de dez centavos nas calçadas, e os bares com ex-tiras gordos de cabelo oleoso bebendo lá dentro, e outubro na sala de bilhar e tudo mais, lá onde eu ia comprar uns tabletes de doce ou uma eventual sopa entre os serviços maçantes de escriturário, quando eu não passava de um escriturário percebendo a inutilidade desse lance, o humano, e então tendo que ir até o outro extremo, um quilômetro e meio em direção à baía, até os imensos matadouros da Armour & Swift onde tomava nota dos números de carne e às vezes tinha que me desviar e esperar enquanto o trem de passageiros passava e se mudavam as agulhas, e o sujeito da retaguarda ou o condutor me diziam sempre quais vagões ficariam e quais partiriam. – Sempre à noite e sempre sobre um solo mole como estrume, mas na verdade era um terreno minado de ratos, os incontáveis ratos que vi e nos quais joguei pedras até cansar, saía voando daquele buraco como de um pesadelo e às vezes até inventava uns números falsos em vez de me aproximar muito de uma gigantesca pilha de lenha que estava tão repleta de ratos que mais parecia a moradia deles. – E as tristes vacas mugindo lá dentro, onde mexicanos e californianos maltrapilhos de cara desagradável, fria e hostil em calhambeques de trabalho circulavam de um lado para outro em suas sangrentas tarefas – até que em um domingo trabalhei nos pátios da Armour & Swift e saquei que a baía ficava a apenas uns dezoito metros de distância e eu nem a conhecia, só um depósito de lixo, um monte de merda repleto de ratos pior do que nunca, embora logo ali a água ondulasse azul e a triste claridade matinal revelasse lisos espelhos límpidos direto para Oakland e Alameda. – E no vento forte da manhã de domingo ouvi o murmúrio das paredes de zinco dos armazéns arruinados e abandonados do matadouro, o lixo e os ratos mortos pelo trem e alguns que eu próprio talvez tivesse atingido com as pedras protetoras que levava nos bolsos da jaqueta, mas na maioria das vezes ratos mortos sistematicamente, caídos por lá, no dia de ventania assombrada e nuvem pungente de partir o coração, com imensos aviões prateados da esperança civilizada decolando do outro lado daquele pântano fedorento e brejo imundo de zinco para algures pelos ares. – Gah, bah, ieoeoeoeoe – era um som de gemido horrível e imundo que se ouvia, cobrindo aquele monturo, aqueles silos escondidos e corredores mortos de zinco pintado, escória, de sal, e bah, oh, bah, e abrigo de rato, o machado, a marreta, as vacas mugindo e tudo o mais, um grande horror de San Francisco Sul, eis o que é o quilômetro 14,9. – Depois disso o trem célere nos conduz em direção a San Bruno, direto por uma longa curva, contornando o pântano do aeroporto de SFS e então adiante para Lomita Park, quilômetro 19,4, onde estão as suaves árvores dos passageiros e as sequóias se chocam e falam a seu respeito enquanto você cruza na locomotiva, cujas caldeiras lançam na noite sua sombra vermelha onipresente. – Você vê todos aqueles ranchinhos californianos e no fim de tarde as pessoas aperitivando nas salas abertas para a suavidade, as estrelas, a esperança de que as criancinhas devem ter enquanto estão deitadas nas suas caminhas à noite e olham para cima e uma estrela reluz para elas acima da terra das ferrovias, e o trem apita, e elas pensam que nessa noite as estrelas vão brilhar, elas vêm, elas vão, elas banham, elas angelizam, ai de mim, venho de uma terra onde deixam as crianças chorar, ai de mim, quem me dera ser uma criança na Califórnia quando o sol cai e o Zipper avança ruidosamente, e eu poderia ver através das sequóias ou das figueiras aquela palpitante luz de esperança fulgurando apenas para mim e banhando as encostas da colina com ou sem medonhas fábricas de cimento kafkanianas, ratos dos matadouros da South City ou não, não, ou não, quem me dera ser uma criancinha no berço de uma doce casinha em estilo rancheiro da Califórnia com meus pais aperitivando na sala, com a imensa janela aberta para o quintalzinho com cadeiras preguiçosas e a cerca, uma cerca em estilo rancheiro de madeira marrom pontuda, as estrelas lá em cima, a noite seca, enxuta, dourada e perfumada, e logo depois de umas ervas daninhas, pedaços de madeira e câmaras de pneus, bam, a linha principal da velha S.P. e o trem cruzando como um relâmpago, tuum, tbuum, o grande estrondo da negra locomotiva, os homens rubros e encardidos lá dentro, o vagão de carvão, e então a longa serpente que é o trem de carga, todos os números e tudo aquilo passando como raio, brruummm, trovejante, o mundo inteiro passando, finalmente a cena se encerra com o querido vagãozinho do pessoal com sua fumacenta luz mortiça, dentro dele o velho condutor se debruça sobre as guias das mercadorias e lá em cima na guarita o sujeito da retaguarda olha para fora de vez em quando e diz para si mesmo tudo preto, e as luzes vermelhas da traseira, as lâmpadas da plataforma traseira do vagão do pessoal e aquela coisa toda some ruidosamente para além da curva de Burlingame para Mountain View em direção às suaves San Joses da noite, e mais abaixo os Gilroys Carnaderos Corporals e aquele pássaro de Chittenden da aurora, suas Logans da noite estranha, todas iluminadas, insetizadas e loucas, suas Watsonvilles, pântanos marinhos, sua longa, longa linha e a linha principal dos trilhos pegajosa ao toque sob a estrela da meia-noite.

O QUILÔMETRO 75,4 é o cenário de San Jose, com uma centena de curiosos vagabundos esparramados pelo matagal ao longo dos trilhos com suas mochilas repletas de porcarias e seus cupinchas, seus tanques privados de lavar roupa, latas d'água para fazer café ou chá ou sopa, e sua garrafa de vinho tokay ou geralmente moscatel. – A Califórnia moscatel os envolve por todos os lados, no céu azul, brancas nuvens esfarrapadas são sopradas por cima do vale de Santa Clara vindas de Bayshore, onde corre um vento forte com nevoeiro, e também através das fendas de South City, e a paz reina pesada no vale abrigado onde os vagabundos encontraram pouso momentâneo. – Sonolência aquecida na grama seca, apenas uns tufos de junco seco que você destroça ao caminhar. – "Então, garoto, que tal um gole de rum para Watsonville?" "Isto não é rum, garoto, é uma nova espécie de merda" – um vagabundo negro sentado em cima de um velho jornal cagado do ano passado que foi usado por Rat Eye Jim dos viadutos de Denver, que passou por aqui na última primavera com uma mochila cheia de tâmaras nas costas – "Desde 1906 que as coisas não ficavam ruins desse jeito!" Estamos em outubro de 1952, e o orvalho cobre os grânulos desse chão tão real. Um dos rapazes junta um pedaço de folha de zinco (que saltou de um vagão aberto no repentino *sprrram* entre vagões de carga no pátio de manobras durante o desengate) (buum!) – pedaços de zinco voam longe, caem no matagal ao lado da via número um. – O vagabundo coloca a folha sobre umas pedras em cima da fogueira e a usa para torrar pão, mas está bebendo tokay e conversando com outros rapazes, e a torrada queima, exatamente como nas tragédias em cozinhas de azulejos. – O vagabundo pragueja furiosamente porque perdeu um bom pedaço de pão, dá um pontapé em uma pedra e diz: "Passei 28 anos entre as paredes de Dannemora e estou farto de vistas espetaculares e de grandes acontecimentos, como quando o bêbado Canneman me mandou aquela carta de Minneapoly sobre as esponjas de Chicago – eu respondi: vá pentear macacos – bem, escrevi uma carta para ele de qualquer maneira". Nem sequer uma única alma o escutou, porque ninguém dá ouvidos a um vagabundo, todos os outros vadios estão parlamentando e ninguém se entende, e você não consegue encontrar a saída daquilo – todos falando ao mesmo tempo e todos confusos. Você tem que se dirigir ao ferroviário para compreender. – Digamos que você pergunte a um sujeito daqueles: "Onde fica a linha 109?" – bem – se for um vagabundo ele dirá: "O trem está bem ali, papai; veja se o velho do lenço azul sabe, sou Slim Homes Hubbard, de Ruston, Louisiana, e não tenho tempo nem jeito de saber onde é a tal de linha 109 – a única coisa que tenho é – preciso de dez centavos, se você puder ceder dez centavos seguirei em paz meu caminho – se não puder, seguirei meu caminho em paz – não se pode ganhar – não se pode perder – e de Bismarck, Idaho, até aqui tudo o que fiz foi perder e perder e perder tudo o quanto jamais tive". Você tem que acolher na alma esses vagabundos quando eles falam dessa maneira – muitos deles rosnam: "Linha 109 Chillicothe Ioway", entre os pêlos da barba suja por fazer – e se afastam arrastando mochilas tão grandes, profundas, pesadas – até parece que lá dentro levam cadáveres esquartejados – olhos injetados, cabelo revolto, revolto, à primeira vista os ferroviários olham para eles com assombro e depois jamais olham de novo – o que as esposas diriam? – Se você pergunta a um ferroviário onde é a linha 109, ele pára, pára de mascar seu chiclete, muda a posição do embrulho que carrega, sua lanterna de bolso ou almoço, se vira, cospe, olha de soslaio para as montanhas do leste, gira os olhos lentamente na caverna particular das órbitas entre o osso frontal e as maçãs da face e diz ainda deliberando e já tendo deliberado: "Eles a chamam de linha 109, mas deviam chamar de 110, fica logo depois da plataforma do gelo, conhece o depósito de gelo ali em cima? –" "Sim –" "Pois é ali, a partir da via número um, na linha principal, que começam os números, mas o depósito de gelo obriga a dar um salto e uma longa volta, e aí é preciso atravessar a linha 110 para chegar à linha 109. – Mas ninguém vai muito lá na 109 – assim, é como se a 109 nem existisse aqui nesse pátio de manobras... números, entende..." "Sim" – certamente que entendi – "Agora entendi com certeza." – "E ela está ali –" "Obrigado – tenho que ir rápido para lá" – "Esse é o problema dos ferroviários, sempre se tem que ir rapidamente para algum lugar – porque senão é como desertar de um local pelo telefone e dizer que se está a fim mesmo é de virar para o outro lado e dormir (como Mike Ryan fez na segunda-feira passada)", diz ele para si mesmo. E nos damos adeus, nos afastamos e fim.

Esse é o grilo no junco. Me sentei nas margens do rio em Pajaro, acendi uma fogueira e dormi com o casaco por cima da minha lanterna de guarda-freios e meditei sobre a vida da Califórnia fitando o céu azul.

O condutor está lá dentro matando tempo, esperando suas ordens ferroviárias – quando recebê-las, dará o sinal para o maquinista, um pequeno aceno com a mão aberta de um lado ao outro, e lá iremos nós – o velho maquinista dá ordem para o vapor, o jovem foguista obedece, o maquinista chuta e puxa a alavanca enorme do acelerador e às vezes salta e luta com ela, um anjo no inferno, e soa o apito duas vezes, tut, tut, vamos partir, e se ouve então o primeiro suspiro da máquina – chug – como se falhasse – chug a lut – zuum – chug, CHUG – o primeiro movimento – o trem está em marcha.

SAN JOSE – porque a alma da ferrovia é a jornada dos comboios, o trem de carga comprido que se vê serpentear trilhos afora puxado com um puff-puff pela locomotiva é o viajante, o vencedor, o responsável arterial e soturno pela vida nos trilhos – San Jose fica oitenta quilômetros ao sul de Frisco e é o centro dos comboios da Divisão da Costa ou da atividade de longas jornadas, conhecida como chifre por ser o pivô das linhas que descem de San Francisco em direção a Santa Bárbara e L.A. e das linhas que avançam reluzentes desde Oakland via Newark e Niles por linhas secundárias que também cruzam a poderosa via principal de Fresno rumo à Divisão do Vale. – Em San Jose é que eu deveria estar morando em vez de na Third Street de Frisco pelas seguintes razões: às quatro da manhã, em San Jose, vem o telefonema do expedidor-chefe ligando da 4th com a Towsend na Triste Frisco: "Keroowayyyy? Pegue uma carona no 112 para San Jose para encarar uma chateação no leste com o condutor Degnan, entendeu?". "Sim, carona no 112, chateação no leste, certo", o que significa, volta para a cama e levanta de novo ali pelas nove, sendo pago esse tempo todo e não se preocupe com porra nenhuma, garoto, às nove horas é só levantar e, de qualquer modo, você já terá ganho quantos dólares durante o sono?, vista a roupa de trabalho, caia fora, pegue um onibuzinho e vá para o escritório do pátio de manobras de San Jose ao lado do aeroporto, e no escritório há centenas de ferroviários atentos, e o tique-taque de relógios, o telégrafo e lá fora as locomotivas sendo alinhadas, numeradas e identificadas e preparadas, e novas locomotivas continuam saindo da oficina, & por todo o ar cinzento paira uma tremenda excitação pelo movimento dos vagões e pela produção de um monte de dinheiro. – Você vai até lá, acha seu condutor, que será uma espécie de comediante de circo com calças largas e a aba do chapéu virada para cima, rosto vermelho e lenço vermelho, sebosas guias de mercadorias e de mudanças de linha nas mãos e que, em vez de utilizar uma grande lanterna de aprendiz de guarda-freios como você, possui uma velha lanterninha de dez anos comprada de algum velho andarilho e cujas pilhas ele precisa comprar em Davegas, em vez de consegui-las de graça como um aprendiz ali no escritório do pátio de manobras, porque, depois de 20 anos na RF você precisa arranjar alguma maneira de ser diferente e também de aliviar o peso que carrega, lá está ele recostado do lado das escarradeiras junto com os outros, você se aproxima com o chapéu caído nos olhos e pergunta: "Condutor Degnan?". "Sou Degnan, bem, parece que não vai acontecer nada antes do meio-dia; portanto, relaxe e fique por aqui", e você vai para a sala azul, como a chamam, onde moscas azuis voam e zumbem em torno dos velhos, imundos e horrorosos estofamentos dos sofás cujo enchimento está saindo para fora e atraindo e provavelmente até servindo de incubadora para futuras moscas, e você se deita ali, caso já não esteja tudo tomado por ferroviários adormecidos, e vira o bico dos sapatos em direção ao antigo, sujo e triste teto castanho, perseguido pelos cliques do telégrafo e pelo troar das locomotivas lá fora, alto o suficiente para fazer você se borrar nas calças, puxa as abas do chapéu sobre os olhos e adormece. – Desde as quatro da manhã, desde as seis da manhã, quando o sono ainda rondava seus olhos naquela casa onírica sombria, você está ganhando 1,90 dólar por hora, e agora já são dez da manhã, e o trem nem sequer está alinhado e "não vai acontecer nada antes do meio-dia", disse Degnan, de modo que ao meio-dia você já vai ter trabalhado (porque o tempo conta a partir do horário de partida do 112) seis horas, e então vai partir para San Jose com seu trem por volta do meio-dia ou talvez lá pela uma da tarde e não chegará à grande cidade terminal de Watsonville, para onde vai tudo (rumo a L.A.) antes das três da tarde ou, graças a algum bem-vindo contratempo, talvez lá pelas quatro ou cinco, ao cair da tarde, quando, esperando pelo sinal de orientação do tráfego, os caras das locomotivas e dos vagões observam o longo, vermelho e melancólico pôr-do-sol do dia moribundo sumindo no velho e adorável marco do quilômetro 158, e o trabalho do dia está feito, a viagem está feita, eles nos pagaram desde o nascer do dia, e só viajamos uns oitenta quilômetros. – Vai ser exatamente assim, por isso durma na sala azul, sonhe com o um por hora e também com o falecido pai, o morto amor, o esfacelamento dos seus ossos e a sua Queda eventual – o trem não estará alinhado antes do meio-dia, e ninguém vai incomodar você até lá – criança afortunada e anjo ferroviário suavemente embalado em seu sono de aço.

Há muitas coisas mais sobre San Jose.

Por isso, se você mora em San Jose, tem a vantagem de três horas a mais de sono em casa, sem contar o sono extra no sofá de couro de forro podre na sala azul – contudo, eu utilizava a viagem de oitenta quilômetros a partir da 3rd Street como minha sala de leitura, levando livros e jornais em uma maletinha preta arruinada com mais de dez anos e que originalmente fora comprada em uma intacta manhã de Lowell em 1942 para ir para o mar, chegando na Groenlândia naquele verão, por isso era uma maleta tão desgastada que, ao me ver com ela no bar do pátio de San Jose, um guarda-freios gritou: "Uma mala de assaltante de trem, se é que eu já vi uma!", e eu não sorri nem concordei com a cabeça, e esse foi o começo, o meio e toda a extensão das minhas relações sociais na rede ferroviária com os velhos e bons rapazes que trabalhavam lá, desde então fiquei conhecido como Kerouaayyy, o índio de nome esquisito, e todas as vezes que passávamos pelos índios pomo que trabalhavam na linha, desajeitados dançarinos de negros cabelos oleosos, eu abanava e sorria para eles e era o único sujeito da S.P. a fazer isso, com exceção dos velhos maquinistas que sempre abanam e sorriem, e dos velhos e respeitáveis chefes de turmas, de cabelos brancos e óculos, bons camaradas e beberrões, respeitados por todos, mas ao índio moreno e ao negro do leste com marretas e calças sujas eu acenava, e pouco depois li um livro e descobri que o grito de guerra dos índios pomo é Ya Ya Henna, uma vez cheguei a pensar em gritá-lo quando a locomotiva cruzou ruidosamente por eles, mas o que eu iria conseguir com isso senão o descarrilhamento de mim mesmo e do próprio trem? – A via férrea se revelava por inteiro, cada vez mais vasta e vasta, até que finalmente a abandonei, um ano depois a revi outra vez, só que dessa vez sobre as ondas do mar, a Divisão da Costa se desenrolando por inteiro ao longo das encostas pardacentas da desolada península americana de Balboa, de um navio, de modo que a estrada de ferro avança sobre as ondas que são chinesas e sobre a mortalha e o mar do Oriente. – Prossegue irregular até as nuvens do planalto e Pucalpas e perdidas alturas andinas muito além dos limites do mundo, e também perfura um buraco profundo na mente de um homem e transporta um bocado de cargas interessantes dentro e fora dos buracos, e também esconderijos e horrorosos pesadelos semelhantes à eternidade, como você verá.

ENTÃO CERTA MANHÃ me telefonaram para a 3rd Street pelas quatro horas da manhã, e me meti no primeiro trem para San Jose, chegando lá às 7h30 e me disseram que não me preocupasse com nada até por volta das dez; por isso, na minha existência inconcebivelmente vagabunda, saí e fui procurar uns pedaços de arame que pudesse dobrar de forma a colocar em cima da minha chapa de aquecimento para que servissem como uma grelha na qual eu pudesse fazer minhas torradas de pão de uvas passas, procurando também se possível por algo ainda melhor que isso, um pedaço de tela de arame no qual eu pudesse pôr chaleiras para aquecer água e panelas para fritar ovos, já que a chapa era tão potente que seguidamente queimava ou deixava preta a parte inferior dos meus ovos se por acaso eu ignorava essa possibilidade enquanto me ocupava em descascar batatas ou outra coisa qualquer. – Dei uma caminhada, em San Jose tinha um depósito de ferro velho do outro lado dos trilhos, fui até lá e dei uma olhada, o que havia ali dentro era tão inútil que o dono nunca aparecia ali fora, e eu que ganhava seiscentos dólares por mês apanhei um pedaço de tela para minha chapa de aquecimento. – Já eram onze horas e nada de trem alinhado, dia cinzento, pesado, maravilhoso – percorri a ruazinha de chalés até o grande bulevar de Jose, tomei sorvete e café-da-manhã, entraram bandos e classes inteiras de garotas com suéteres justos e colantes e tudo mais, como uma academia de mulheres que tivesse se reunido de repente para fofoquear e tomar café, e lá estava eu com meu boné de beisebol preto e gorduroso de óleo e minha jaqueta imunda e velha com gola de pele que tinha me servido de travesseiro nas areias da margem do rio em Watsonville e no cascalho de Sunnyvale do outro lado de Westinghouse, perto da zona dos meus tempos de aprendiz, onde aconteceu o meu primeiro grande momento como ferroviário em Del Monte, quando desatrelei meu primeiro vagão e Whitey disse: "É tudo com você, faça o que tem que fazer, puxe o pino com força, ponha a mão lá dentro e enfie o pino, é tudo com você", era uma noite de outubro, escura, límpida, clara, seca, montes de folhas ao lado dos trilhos na escuridão suave e perfumada, e, para além delas, caixas de frutas de Del Monte e trabalhadores nos vagões e – nunca vou esquecer Whitey dizendo aquilo. – Pelo mesmo resquício de dúvida, apesar de e por causa dele, eu queria poupar toda a minha grana para o México, também me recusei a gastar 75 centavos ou até menos de 35 por um par de luvas de ferroviário, em vez disso, depois de perder a primeira luva de trabalho que comprei, enquanto desviava aquele vagão de flores perfumado em San Mateo em uma manhã de domingo no trem local com Sherman, decidi catar todas as minhas demais luvas no chão, e por isso andei semanas agarrando o ferro gélido das máquinas na noite fria e úmida com a mão enegrecida, até que finalmente encontrei a primeira luva na porta do escritório do pátio de manobras de San Jose, uma luva de tecido marrom com um mefistofélico forro vermelho, juntei ela do chão mole e úmida, bati contra o joelho, deixei secar e usei. – A outra luva achei na porta do escritório do pátio de manobras de Watsonville, uma luvinha imitando couro por fora com forro quente e cortada no pulso com uma tesoura ou gilete para ser vestida com mais facilidade, sem sequer ser necessário puxá-la. – Essas eram minhas luvas, como falei, eu tinha perdido a primeira em San Mateo e a segunda com o condutor Degnan enquanto aguardava o sinal verde (eu trabalhava na retaguarda por causa dos temores dele) ao lado dos trilhos em Lick, a longa curva, o tráfego da 101 dificultando que se ouvisse e na verdade foi o velho condutor que na escuridão daquele sábado acabou ouvindo o sinal, eu não ouvi nada, corri para o vagão do pessoal enquanto ele sacolejava com a redução da velocidade e comecei a contar minhas lâmpadas vermelhas de sinalização, meus foguetes luminosos, sei lá mais o que, e percebi horrorizado enquanto o trem deslizava que havia deixado cair uma das luvas em Lick, maldição! – agora tenho duas luvas novas apanhadas do chão. – Ao meio-dia desse dia a locomotiva ainda não estava alinhada, o velho maquinista ainda nem devia ter saído de casa, onde de braços abertos tinha pego o filho na calçada ensolarada e o beijara no entardecer vermelho da tarde anterior; por isso eu estava ali dormindo naquele horrível sofá velho quando por deus de uma hora para outra, e isso várias vezes depois de eu ter saído para dar uma conferida na locomotiva que já estava engatada e no condutor e no cara da retaguarda que bebiam café na oficina e até no foguista e então retornar para tirar mais uma pestana no sofá aguardando que eles me chamassem, quando ouvi em meus sonhos um duplo tuut-tuut e uma grande locomotiva ansiosa partindo, e é a minha máquina, mas não percebo de imediato, penso que é alguma velha Maria Fumaça se arrastando alquebrada em um sonho ou em uma realidade onírica, quando de repente acordo para o fato de que eles não sabiam que eu estava dormindo na sala azul e receberam suas ordens e deram o sinal, e lá vão eles para Watsonville deixando para trás o cara que trabalha na frente – segundo a tradição, se o foguista e o maquinista não vêem o sujeito da frente na locomotiva e já receberam o sinal, caem fora, não têm nada a ver com esses ferroviários dorminhocos. – Levanto de um pulo, agarro a lanterna no dia cinzento e passo voando exatamente pelo lugar onde tinha encontrado a luva marrom com forro vermelho e penso nela na fúria da minha preocupação, e quando salto vejo a locomotiva já cinqüenta anos linha abaixo, acelerando e bufando, o trem inteiro atrás, e os carros aguardando no entroncamento, é o MEU TREM! – Lá vou eu saltitando e correndo rápido pelo local da luva, pela estrada, pela esquina do depósito de ferro-velho onde tinha procurado pela tela ainda naquela manhã preguiçosa, ferroviários boquiabertos e espantados, uns cinco ou seis deles, observam o aprendiz louco correndo atrás de sua locomotiva que parte para Watsonville – vai conseguir apanhá-la? Em trinta segundos, lá estava eu quase tocando na escada de ferro e mudando a lanterna de mão para me agarrar e subir, e de qualquer modo a tralha toda pára de novo em um sinal vermelho para deixar passar acho que o velho 71 rumo ao pátio da estação, acho que a essa altura eram quase três horas, eu dormi e ganhei ou comecei a ganhar inacreditáveis horas extras enquanto aquele pesadelo transpirava. – Então o sinal vermelho acendeu, e assim eles tiveram que parar, e eu consegui apanhar meu trem, sentei na caixa de areia para recuperar o fôlego, nenhum comentário sobre o que quer que fosse nas mandíbulas hostis e nos gélidos olhos azuis caipiras do maquinista e do foguista, eles deviam ter algum protocolo assinado com a rede ferroviária no fundo de seus corações, pois estavam pouco se lixando para o garoto desmiolado que corria pelos trilhos atrás de seu serviço atrasado e perdido.

Perdoa-me, oh Senhor.

NA CERCA FROUXA NOS FUNDOS da Del Monte Fruitpacking Company, que fica do outro lado dos trilhos da estação de passageiros de San Jose, há uma curva, uma curva da eternidade relembrada dos sonhos que tive sobre a escuridão ferroviária, nos quais estou trabalhando em indescritíveis trens locais com os índios e de repente damos de cara com um enorme comício de índios em um túnel exatamente lá pelas imediações da curva de Del Monte (onde os índios trabalham, aliás) (empacotando caixas, latas, frutas em conserva), e estou com os heróis de bares portugueses de San Francisco vendo danças e ouvindo discursos revolucionários, como os discursos dos heróis revolucionários acocorados no chão de Culiacan, onde, junto com o rugido da onda na noite esquisita e melancolicamente iluminada, escutei-os dizer *la tierra esta la notre* e percebi que eles falavam sério, e por essa razão o sonho do encontro e celebração dos índios revolucionários no fundo do porão da terra dos ferroviários. – O trem faz a curva e me inclino delicadamente para fora na escuridão férrea, olho, e lá estão nossos despachos e as ordens do trem em um cordão estendido entre duas varetas, quando o trem passa, os guarda-freios (geralmente os foguistas) simplesmente estendem todo o braço para fora, para ter certeza de que não vão errar, e na passada agarram o cordão (o cordão está bem esticado), o cordão se solta, e os dois arcos produzem um pequeno zunido, as ordens do trem em papel amarelo fininho presas na corda se enrolam no braço, o maquinista recebe o cordão e lentamente, graças aos anos de prática, desdobra o papel para ler, e às vezes até põe óculos, como os grandes eruditos de universidades renomadas, e lê enquanto a enorme locomotiva continua o chug-chug através da verde terra da Califórnia, e mexicanos de casebres chicanos na beira dos trilhos nos vêem passar com a mão protegendo os olhos, vêem o grande monge aprendiz de óculos na locomotiva da noite examinando com ar doutoral o bilhetinho na grande garra encardida e que diz, data: "três de outubro de 1952, Ordens para Trens, para o trem 2-9222, transmitidas às 14h04, aguardar em Rucker até 15h58 pelo 914 que vai para o leste, não ultrapassar Corporal antes das 16h08 e etc.", todas as várias ordens que os expedidores e inúmeros funcionários pensantes das torres de mudança de agulha e telefones estão pensando na grande passagem metafísica do trânsito ferroviário – todos nós as lemos, um por vez, afinal eles costumam dizer aos jovens aprendizes: "Leia com atenção, não deixe para nós decidirmos se há algum erro, várias vezes aprendizes acharam erros que o maquinista e o foguista não haviam notado apesar de seus anos de prática, portanto, leia cuidadosamente", de modo que leio tudo de cabo a rabo, releio e volto e a reler, conferindo datas e horas, como a hora da ordem, que não poderá de maneira alguma ser posterior à hora da partida da estação (quando corri pelo depósito de ferro-velho com a lanterna e a pasta dos assaltos, com a consciência pesada para apanhar o trem na penumbra cinzenta), mas ah está tudo perfeito. A pequena curva em Del Monte, as ordens do trem, depois a composição segue para o quilômetro 79, o cruzamento com a rede da Western Pacific, onde se vêem os trilhos seguirem direta e verticalmente através daqueles trilhos alienígenas, por isso há uma corcova definitiva no leito da via, mas, tchum quando passamos por cima, às vezes de madrugada, regressando de Watsonville, eu cochilando na locomotiva e me perguntando onde estaríamos, sem saber se já estávamos perto de San Jose ou em Lick, e ouvia o brrr-brrr e dizia para mim mesmo: "O cruzamento da Western Pacific!", e me lembro da vez em que um guarda-freios me disse: "Não consigo dormir de noite na nova casa que arranjei na Santa Clara Avenue por causa do estrondo e estardalhaço que aquela maldita locomotiva faz no meio da noite". "Mas pensei que você gostasse de ferrovias." "Para dizer a verdade, o problema é que é a Western Pacific que tem uma linha lá", como se fosse inconcebível que pudessem existir outras companhias na rede ferroviária que não a Southern Pacific. – Lá vamos nós cruzando o cruzamento e lá vamos nós ao longo do regato, o Oconee da velha San Jose, o insignificante riozinho seco de Guadalupe, com índios parados nas margens, crianças mexicanas vendo o trem passar e vastos campos de cactos espinhentos, um cenário verde e singelo na tarde cinzenta, que se tornará castanho-dourado e suntuoso quando o sol às cinco lançar suas chamas flamejantes derramando o vinho da Califórnia sobre as beiradas dos confins ocidentais no pacífico oceano. – Lá vamos nós para Lick, sempre olho para meus pontos de referência prediletos, uma escola em cujo pátio garotos jogam futebol americano em equipes divididas em primeiro e segundo times e equipes de calouros e subcalouros, quatro delas, sob o comando de sacerdotes vestidos de negro como corvos e com vozes estridentes e alegres levadas pelo vento, já que é outubro mês das competições e do aplauso das torcidas. – Depois ainda em Lick há uma espécie de mosteiro em uma colina, mal se vislumbram as oníricas paredes de marijuana ao se passar, lá em cima, com uma ave volteando em paz, um campo, claustros, trabalho, preces enclausuradas e toda a espécie de singela meditação conhecida pelo homem, enquanto passamos discutindo e dando risadinhas com uma locomotiva que se precipita adiante e vagões de carga que ocupam longos e impressionantes oitocentos metros, olho ansioso para trás, pronto para agir, na expectativa de um rolamento superaquecido. – Os sonhos dos homens do mosteiro no alto da colina em Lick, e penso: "Ah, paredes como creme em Roma ou civilizações, ou a última mediação monástica com Deus no didoudkekeghgj", sabe-se lá no que estou pensando, e meus pensamentos se modificam repentinamente quando a 101 aparece ao longe, e Coyote, e o início dos doces pomares, plantações de ameixa, vastos campos de morango e imensas lavouras onde ao longe se vêem acocoradas as figuras humildes dos bóias-frias mexicanos sob a forte neblina trabalhando para arrancar do solo aquilo que a América com seus vastos salários de ferro já não considera viável como profissão, mas que come, mas que continua comendo, e as costas de bronze e os braços de ferro do México dos planaltos de cactos gostam e o fazem para nós, o trem de carga e as concomitantes cargas de beterraba nem sequer, os homens no trem nem sequer imaginam como essas beterrabas foram colhidas, com que vigor, suor, suavidade – e postas para descansar fora da terra em um berço de aço. – Vejo suas humildes costas curvadas e recordo dos meus próprios dias de colheita de algodão em Selma, Califórnia, e vejo muito ao longe, para lá das videiras, as colinas do oeste, então o mar, os grandes montes suaves e mais ao longe começamos a ver as familiares colinas de Morgan Hill, passamos pelos campos de Perry e Madrone e pelo lugar onde fazem vinho, e está tudo ali, todos os suaves sulcos marrons com flores desabrochadas, e certa vez entramos em um desvio para esperar pelo 98, e eu corri para lá como o cão dos Baskervilles e apanhei algumas ameixas velhas que já não prestavam para comer – o proprietário me viu, ferroviário correndo e retornando com culpa para a locomotiva com uma ameixa roubada, eu estava sempre correndo, sempre correndo, corria para mudar as agulhas, corria em sonhos e corro agora – feliz.

A SUAVIDADE DOS CAMPOS É INDESCRITÍVEL – os próprios nomes são inacreditavelmente comestíveis, como Lick, Coyote, Perry, Madrone, Morgan Hill, San Martin, Rucker, Gilroy, oh sonolenta Gilroy, Carnadero,

Corporal, Sargent Chittenden, Logan, Aromas e Watsonville Junction com o rio Pajaro serpenteando por ali e nós da ferrovia cruzando por seus vales índios secos e arborizados em algum lugar na saída de Chittenden, onde, em uma manhã rósea toda orvalhada, vi um passarinho pousado em um galho acima do emaranhado da mata, e era o Pássaro de Chittenden e o significado da manhã. – Bastante suaves os campos nos arredores de San Jose, como, digamos, em Lawrence e Sunnyvale e onde há imensas lavouras com mexicanos curvados e melancólicos labutando na primavera. – Mas, uma vez passada San Jose, de alguma maneira a Califórnia inteira se abre ainda mais, ao pôr-do-sol em Perry ou Madrone é como um sonho, você vê um pequeno casebre de fazenda, os campos, as fileiras de árvores frutíferas e, mais além, a tênue névoa verde das colinas e sobre elas as auréolas rubras do poente pacífico e no silêncio o ladrar de um cão e o delicado sereno noturno que já surge, a barriga cheia, lambendo o sumo do bife de carne moída da frigideira e logo mais à noite a linda Carmelitazinha O'Jose virá pela estrada com seios morenos saltitando suavemente sob o pulôver de *cashmere* mesmo com o sutiã de donzela, e seus pezinhos morenos com sandálias de tiras também marrons, e seus olhos escuros como lagos onde você vê indaga qual o louco significado, e os braços como braços de criadas da Bíblia plutoniana – apoios para seus braços em forma de árvores, com sumo, apanhe um pêssego, apanhe a laranja suculenta, abra um buraco com uma mordida, pegue a laranja, incline a cabeça para trás, use toda a sua força, beba e esprema a laranja pelo buraco, o sumo escorre por seus lábios e sobre os braços dela. – Ela tem poeira nos dedos de seus pés e esmalte nas unhas deles – tem uma cintura fina e morena, um queixinho delicado, pescoço suave como o de um cisne, voz baixa, singela feminilidade e não sabe disso – sua voz baixa é tilintante. – Lá vem o fatigado trabalhador braçal do campo Jose Camero, e ele a vê sob o imenso sol rubro no pomar, caminhando com a dignidade de uma rainha em direção ao poço, à torre, ele corre para ela, o trem cruza ruidosamente, mas ele não presta atenção, em pé na locomotiva vão o aprendiz de guarda-freios J. L. Kerouac e o velho maquinista W. H. Sears, doze anos na Califórnia desde que deixou as fazendas repletas de poeira de Oklahoma, o pai dele os mandou partir em uma velha perua caindo aos pedaços, nos primeiros tempos foram e tentaram ser colhedores de algodão e eram extraordinariamente bons nisso, mas um dia alguém disse a Sears que tentasse a rede ferroviária, o que ele fez, e por isso, depois de vários anos como um jovem foguista, agora era maquinista – a beleza dos campos da salvação da Califórnia não faz a menor diferença para a pedra de seus olhos enquanto com a mão enluvada firme na alavanca ele conduz a negra fera pelos trilhos brilhantes. – Agulhas avançam se fundindo nas vias, delas partem desvios como lábios e regressam como braços de amantes. – Minha mente está nos joelhos morenos de Carmelita, na mancha negra entre suas coxas, onde a criação esconde sua majestosidade, e todos os rapazes ávidos correm sofrendo e querem tudo, o buraco inteiro, serviço completo, o pêlo, a membrana a ser explorada, aquela adorável, queridinha coisinha aconchegante, ela nunca pode, e o sol se põe, está escuro, e eles estão deitados em um parreiral, ninguém pode vê-los, ou ouvi-los, só o cão ouve OOO, lentamente contra o pó daquela terra das ferrovias ele aperta o traseiro pequenino dela para baixo, formando uma pequena depressão na terra pela força e peso das investidas dele, apunhalando-a lentamente através do portal da doçura dela, e lentamente o sangue lateja na cabeça de índio dele e se congestiona, e ela arqueja suavemente com os lábios morenos entreabertos e com os dentinhos perolados aparecendo e só um pouquinho salientes e mordendo, ardendo no fogo dele – ele cavalga e avança para triturar, o bago, a ondulação da parreira em uníssono, o vinho jorra da caneca do chão, garrafas rolarão na 3rd Street até as areias de Santa Bárbara, ele só está fazendo o que você gostaria de fazer e também faria se pudesse, ou não faria – a carne macia se misturando, o vinho de sangue fluindo, terra de folhas secas amontoadas com as passagens de ferro árduo sobre ela, a locomotiva grita C RRRR OOO AAUUOOO, e o cruzamento é o famoso Crrot Crroot Crroo ooooaaaauuuu Croot – dois breves, um longo, um breve, é uma coisa que preciso aprender porque uma vez o maquinista estava ocupado contando uma piada no ouvido do foguista e estávamos chegando a um cruzamento e ele gritou para mim: "Apita, apita" e fez o sinal para puxar a cordinha com a mão, eu olhei para cima, agarrei o fio e olhei para fora, grande maquinista, vi o cruzamento correndo em nossa direção e garotas de sandálias e vestidos apertados na bunda à espera nas pranchas de madeira do cruzamento da RF de Carnadero, e dei dois puxões curtos, um longo, um curto, Crrot Crroot Crrooaa Croot. – Agora o céu está em púrpura, toda a margem da América se desmancha, se entorna pelas montanhas do oeste até o mar eterno e oriental, e lá está seu campo melancólico e amantes entrelaçados, e o vinho jaz por terra, e em Watsonville, lá em cima, no fim da minha suja viagem, entre um milhão de outras coisas se encontra uma garrafa de vinho tokay que vou comprar para meter um pouco daquela terra em minha barriga de novo depois de todo esse estremecimento ferroso de encontro à exultação de minha carne macia e meus ossos – em outras palavras, quando acabar o trabalho, beberei vinho e descansarei. – A Subdivisão Gilroy, ei-la.

A PRIMEIRA VIAGEM QUE FIZ na Subdivisão Gilroy, naquela noite escura e límpida, de pé ao lado da locomotiva com minha lanterna e minha pasta à espera de que os chefes se decidissem, eis que das trevas surge um garoto, não era ferroviário, mas obviamente um vagabundo, só que um vagabundo universitário ou de boa família, ou se não pelo menos com um sorriso de dentes claros, não era um Zé Ninguém surgido dos confins da noite do mundo – ele perguntou: "Essa coisa vai para L.A.?" – "Bem, vai até um pedaço do caminho, uns oitenta quilômetros até Watsonville, então, se você permanecer aqui eles podem te levar até San Luis Obispo, que também fica mais ou menos a meio caminho de L.A." – "Mas o que me interessa mais ou menos a meio caminho de L.A. Quero é todo o caminho até L.A. – o que é você, um guarda-banana desta ferrovia?" "Sim, sou aprendiz." – "O que é aprendiz?" – "Bom, é o sujeito que aprende e ganha, bem, não estou ganhando nada." (Era minha primeira viagem como aprendiz.) – "Ah, bem, não gosto de ficar indo para cima e para baixo nos mesmos trilhos, se quer saber, o mar é que é o grande barato, é para lá que eu vou, ou então de carona até Nova York, ou uma coisa ou outra, o certo é que eu jamais seria ferroviário." – "Qual é, cara, é o maior barato, você está sempre em movimento, ganha uma grana legal e ninguém enche o seu saco durante a viagem." – "Mas mesmo assim você fica indo para cima e para baixo no mesmo trilho, não fica, porra?" Então eu disse em que vagão ele devia entrar: "Mas pelo amor de Deus, não vá se aleijar, lembre sempre disso quando andar por aí tentando provar que é um grande aventureiro da noite americana e quiser saltar em trens de carga como os heróis de Joel McCrea dos filmes antigos, ai Jesus, seu filho-da-puta estúpido, se agarre com toda a força que tiver e não deixe seus pés se arrastarem sob aquelas redondas rodas de ferro porque elas vão ter menos consideração pelos ossos de sua perna do que eu pelo palito que tenho na boca". "Ah seu merda, seu merda, acha que eu tenho medo desse maldito trem, vou me alistar na maldita da marinha e vou andar de porta-aviões, vá se ferrar, vou pousar com meu avião metade no ferro, metade na água e botar pra quebrar, vou dar uma chegada na lua também." "Boa sorte para você, garoto, vê se não cai, se agarre bem forte, não vá se foder, e quando chegar a L.A. mande lembranças minhas para Lana Turner." – O trem estava começando a andar, e o garoto tinha desaparecido em meio ao longo leito negro e aos vagões rubros – saltei para a locomotiva com o sujeito da frente que ia me mostrar como se fazia aquela viagem e com o foguista e o maquinista. – Chugchug, caímos fora pelo cruzamento em direção à curva de Del Monte e ao lugar onde o cara da frente me mostrou como você se agarra com uma mão, se inclina para fora, estende o braço e apanha as instruções do trem penduradas na corda – e então para Lick, para a noite, para as estrelas. – Jamais me esquecerei, o foguista usava uma jaqueta de couro preto e um boné branco de marinheiro dos becos da Embarcadero de San Francisco, com uma viseira, sob o negrume daquela noite parecia exatamente um herói revolucionário de Bridges Curran Bryson das velhas tabernas do cais, eu podia imaginar o cara com um cassetete na mão carnuda em panfletos esquecidos do sindicato, apodrecendo nas sarjetas em frente aos bares de becos, podia ver ele com as mãos socadas dentro dos bolsos cruzando com ferocidade por entre bandos de vagabundos nada excêntricos e nada trabalhadores da 3rd Street até seu encontro com o destino dos peixes na beira do cais azul dourado onde os rapazes se sentam à tarde sonhando sob as nuvens ao som suave de águas tépidas se chocando contra os pilares carcomidos a seus pés, mastros brancos de navios, mastros cor de laranja de navios com casco preto, e todo aquele comércio oriental cruzando sob a Golden Gate, posso assegurar que aquele sujeito estava mais para um lobo do mar do que para um foguista da rede ferroviária; no entanto, ali estava ele sentado com seu boné branco como a neve na noite negra como fuligem, montado como um jóquei naquele banco de foguista e chug, nós realmente estávamos voando, quase estragavam a máquina para ganhar tempo e passar por Gilroy antes que outras instruções ferrassem com eles, por isso lá íamos nós a toda a velocidade com os faróis da nossa grande máquina modelo 3500 lançando sua grande língua lânguida e febril sobre os trilhos que se enrolavam e desenrolavam à nossa frente, íamos balançando e urrando e voando estrada abaixo como uns porra-loucas, e o foguista não segurava exatamente seu boné branco, segurava era o acelerador de mão, e não tirava os olhos das válvulas e manômetros, e olhava para fora, para os trilhos, o vento o açoitava lhe achatando o nariz, mas, meu Deus, ele continuava sentado exatamente como um jóquei montando um cavalo bravio, naquela noite, que era a minha primeira noite, tínhamos um maquinista tão louco que mantinha o acelerador inteiramente puxado para trás e estava sempre batendo nele com o calcanhar em um troço de ferro, como se tentasse abri-lo ainda mais e se possível desmanchar a locomotiva para arrancar mais velocidade e abandonar os trilhos e voar pela noite acima dos campos de ameixas, que esplendorosa noite de estréia foi aquela para mim ao fazer uma viagem assim tão veloz com um bando de demônios da velocidade e o magnífico foguista com seu não-predestinado, impossível e sem precedentes boné branco na via férrea negra negra. – E os diálogos intermináveis que eles mantinham o tempo inteiro, e as visões que tive de seu boné branco no restaurante cabelo público da Howard, como vi aquela Frisco, Califórnia, branca e cinzenta dos nevoeiros e chuva, e as ruelas de garrafas, chapéus-coco, bigodes de cervejas, ostras, focas, percorrendo colinas, cinzentas janelas da baía, olho vivo para velhas igrejas que distribuem comida para alquebrados lobos do mar uivando e rosnando nas avenidas do tempo das oportunidades perdidas, ah – adorei tudo, e a primeira noite, a melhor das noites, o sangue, "trabalhar na rede ferroviária está no sangue" grita para mim o velho maquinista aos saltos em seu lugar, e o vento empurra a viseira do boné para trás, e a locomotiva sacoleja como fera imensa de um lado para outro a cento e vinte quilômetros por hora, desrespeitando todas as regras do livro das regras, zumm, zumm, seguíamos estrondosamente através da noite, e lá fora Carmelita vem vindo, Jose faz com que a eletricidade dela se misture e se confunda com a dele, e toda a terra saturada de sumos aponta o órgão em direção à flor, o desabrochar, as estrelas se inclinam, todo mundo se aproxima enquanto a imensa locomotiva passa com os loucos de boné branco da Califórnia lá dentro e, uau, simplesmente não há fim para todo esse vinho –

4. Palermas da cozinha marítima

VOCÊ JÁ VIU UM ENORME CARGUEIRO deslizar pelas águas da baía em uma tarde de sonhos e enquanto estende o olhar ao longo de todo o convés de ferro em busca de pessoas, marinheiros, fantasmas que devem estar manobrando esse navio onírico que singra tão suavemente pelas águas do porto com sua proa de aço e o focinho apontado para os Quatro Ventos do Mundo e não vê nada, ninguém, vivalma?

E lá segue ele em plena luz do dia, triste casco desolado latejando tenuemente, rangendo e rugindo incompreensivelmente na casa das máquinas, resfolegando, movendo suavemente sua gigantesca hélice traseira submersa, abrindo caminho em direção ao alto-mar, eternidade, estrelas do louco sextante do imediato na abóbada rósea da noite manzanilhana caem longe da costa desse triste mundo da beira-mar – em direção aos cais de outras baías de pescadores, mistérios, noites opiáceas nos reinos da vigia, estreitas ruas principais do Curdo. – De repente, meu Deus, você se dá conta de que estava olhando para uns pequenos pontos brancos imóveis no convés, entre o convés principal e os alojamentos, e lá estão eles... diversos tripulantes de casaco branco, eles estavam o tempo inteiro recostados, imóveis como peças fixas do próprio navio nas escotilhas do corredor da cozinha. – É depois do jantar, o resto da tripulação ronca bem alimentada em beliches de sonecas intermitentes – eles mesmos grandes vigilantes do mundo enquanto deslizam em direção ao Tempo, nenhum vigia do navio pode evitar ser ludibriado e perscrutado muito antes de perceber que eles são humanos, são a única coisa viva à vista. – Zés maometanos, baixinhos eslavos marítimos horrendos espiando com o canto do olho de dentro de casacos náuticos estúpidos – negros com chapéus de cozinheiro coroando a fronte negra reluzente e torturada – junto aos caixotes de lixo da eternidade, felás latinos repousam e cochilam na calmaria do meio-dia. – E oh insanas gaivotas perdidas grasnam, revoando como um manto cinzento e inquieto em torno da popa – oh o rastro nas águas que se turvam lentamente pela agitação da hélice enlouquecida que está sendo ferida e ferida a partir da casa de máquinas por combustões e pressões e pela labuta insuportável de primeiros-maquinistas germânicos e gregos lubrificadores com bandanas imundas, e só a Ponte pode dirigir essa energia incansável para qualquer Porto da Razão através de imensos, solitários, incríveis mares de loucura. – Quem está na torre de comando? Quem está no convés da popa? Quem está na ponte volante, imediato? – nem uma só alma. – O velho barco deixa nossa isolada baía sonolenta e se dirige para o estreito, as bocas de Netuno, que minguam, diminuem enquanto olhamos... – passamos o farol – passamos a última ponta de terra – lúgubre, encardido, cinzento véu fino de torpor fumega da chaminé, lança ondas de calor aos céus – bandeiras no cordame despertam ao primeiro vento marinho. Mal podemos distinguir o nome do navio melancolicamente pintado na proa e em uma tábua ao longo da amurada da coberta superior.

Em breve as primeiras longas ondas transformarão esse navio em uma serpente marinha intumescida, a espuma se comprimirá, se espatifando na boca solene. – Onde estão os rapazes que vimos encostados na amurada ao sol depois da refeição? A essa altura já terão entrado, fechado as portinholas do longo tempo de prisão em alto-mar, os grilhões serão afixados, um estrondo duro e seco como madeira sobre as esperanças ébrias do porto, a louca e febril satisfação pelas dez primeiras bebidas na noite da Embarcadero, bonés brancos boiando em um minúsculo bar pouco iluminado, Frisco toda azul, enlouquecida com marinheiros, pessoas, ônibus elétricos, restaurantes, colinas, noite, agora é apenas a cidade das alvas colinas íngremes por trás da vossa ponte de Golden Gate, lá vamos nós.

Uma hora. O *S.S. William Carothers* navega rumo ao canal do Panamá e ao golfo do México.

Uma alva bandeira de marolas ondula na popa, um emblema do silêncio dos caras da tripulação que se recolheram. – Você já os viu navegando para o alto-mar ao passarem pela balsa na qual você faz o trajeto de ida e volta para o trabalho, pelo seu Ford na ponte levadiça rumo ao trabalho, eles têm ar de lavadores de prato com o avental engordurado, depravados, maus, gastos como borra de café em uma barrica, insignificantes como cascas de laranja em um convés oleoso, brancos como caca de gaivota – pálidos como penas – apassarados – auxiliares de cozinha insanos e aventureiros sicilianos bigodudos do mar? E já imaginaram suas vidas? Quando o vi pela primeira vez naquela manhã, no sindicato, Georgie Varewsky tinha aparência tão semelhante ao espectral auxiliar de cozinha navegando para as suas singapuras da obscuridade que tive certeza de que já o tinha visto centenas de vezes anteriormente – em algum lugar – e sabia que voltaria a vê-lo outro tanto.

ELE TINHA AQUELE ASPECTO MARAVILHOSAMENTE DEPRAVADO, não apenas de um dedicado e febril garçom europeu alcoólatra, mas também algo de impertinente e maluco – muito louco, não encarava ninguém, era altivo como um aristocrata senhor de um profundo silêncio interior e de alguma razão para não dizer nada, como, vocês vão notar, todos os verdadeiros beberrões em meio à náusea da bebida, que é uma interrupção na sua excitação, apresentam apenas um vago e tênue sorriso desconexo no canto da boca e se comunicam com algo que existe bem no seu íntimo, quer seja repugnância, quer alegria trêmula em plena ressaca e se recusam a se comunicar com os outros (essa é a realidade da noite de trago e folia), em vez disso ficam sozinhos, sofrem, sorriem, riem por dentro sozinhos, reis da dor. – As calças dele eram largas, seu torturado casaco devia ter ficado enrolado a noite inteira sob sua cabeça. – Na ponta de um braço e um dedo compridos pendia uma modesta bagana perdida que fora acesa horas antes, acesa e esquecida alternadamente, e maltratada e conduzida ao longo de quarteirões de atividade trêmula, cinzenta e necessária. – Só de olhar para ele dava para ver que tinha gasto todo o dinheiro e precisava descolar outro navio. – Estava parado, ligeiramente inclinado para a frente da cintura para cima, pronto para o que desse e viesse, qualquer coisa encantadoramente engraçada ou não. – Baixo, louro, eslavo – tinha os malares sinuosos em forma de pêra e que na bebedeira da noite anterior estavam engordurados e febris e agora apresentavam a palidez dos vermes –, acima deles, os luminosos olhos azuis maliciosos oblíquos. – O cabelo era fino, ralo, também atormentado como se alguma grande Mão Divina da Noite Bêbada o tivesse agarrado e puxado – cabelo escorrido, fino, cinzento, báltico. – Tinha uma penugem como barba – sapatos gastos. – Você poderia imaginá-lo em um imaculado casaco branco, cabelos lambidos para trás em salões parisienses e transatlânticos, mas nem mesmo isso jamais conseguiria remover aquela secreta perversidade eslava de sua aparência furtiva, e ele continuaria apenas encarando os próprios sapatos. – Lábios cheios, vermelhos, carnudos, comprimidos e se mexendo como se murmurassem "filho-da-puta...".

Distribuíram os serviços, fui nomeado camareiro e Georgie Varewski, o louro furtivo trêmulo de aspecto doentio e culpado, auxiliar de cozinha, sorrindo seu triste, aristocrático e pálido sorriso de superioridade. – O nome do navio era *S.S. William Carothers.* Deveríamos nos apresentar todos em um lugar chamado Base Militar às seis da manhã, fui direto até o meu novo companheiro de bordo e perguntei: "Onde *fica* essa Base Militar?".

Ele me olhou de cima com um sorriso safado – "Vou te mostrar. Me encontre no bar da Market Street, 210 – Jamy's – às dez da noite, embarcamos, dormimos no navio, cruzamos a ponte no trem A –"

"Ok, combinado."

"Puta que o pariu, agora estou me sentindo muito melhor."

"O que foi?" Pensei que ele estava aliviado por ter conseguido o emprego que achava que não conseguiria.

"Eu estava mal. Passei a noite inteira bebendo tudo o que vi pela frente –"

"O quê?"

"Misturei..."

"Cerveja? Uísque?"

"Cerveja, uísque, vinho – uma porra de uma bebida ve-r-r-de –" Estávamos parados do lado de fora, na grande escada do sindicato, bem acima das águas azuis da baía de San Francisco, e eles estavam lá, os navios brancos na maré, e todo meu amor brotou para louvar minha nova vida de marinheiro. – O mar! Navios de verdade! Meu querido navio atracara, não em sonho, mas na realidade, com seu cordame emaranhado e marinheiros autênticos e a grana do emprego bem guardada em minha carteira e apenas há uma noite eu estava matando baratas no meu minúsculo quarto sombrio em um cortiço da Third Street. – Senti vontade de abraçar meu camarada. – "Como é seu nome? É demais!"

"George – Georg-ee – sou polaco, me chamam de Polaco Doido. Todo mundo me conhece. Eu beeebo e beeebo e enxugo o tempo inteiro e perco o emprego, perco o navio – me deram mais uma chance – eu estava tão mal que nem enxergava – agora estou me sentindo um pouco melhor –"

"Bebe uma cerveja, isso vai te endireitar."

"*Não!* Eu recomeçaria tudo outra vez. Fico doi-i-do, duas, três cervejas, *buum!* Desapareço, sumo, você não me vê nunca mais." – Sorriso desamparado, um dar de ombros. "É assim que é o Polaco Doido."

"Fiquei com o serviço de quarto – você foi para a cozinha."

"Me deram mais uma chance, mas logo depois é: Georgie, vagabundo, cai fora, vai se lixar, está despedido, você não é marinheiro, filho-da-puta esquisito, você enxuga como uma esponja – Eu *sei*", diz ele com um riso forçado. – "Eles vêem meus olhos brilhando e dizem: 'Georgie esstá bêbado outra vez' – não – nem mais uma cerveja, não posso – Agora não enxugo nada até zarparmos –"

"Para onde vamos?"

"Mobile, para carregar – Extremo Oriente – provavelmente Japão, Yokohama – Sasebo – Kobe – não sei. – Provavelmente Coréia – provavelmente Saigon – Indochina – ninguém sabe – vou ensinar você a fazer o trabalho, se você é novo nisso. – Sou George Varewski, Polaco Doido. – Que se foda –"

"Ok, cara. Nos encontramos às dez da noite. –"

"Market, 210 – vê se não se embebeda e aí não aparece!"

"Você também! Se você sumir, irei sozinho."

"Não se preocupe – não tenho dinheiro nenhum, nem um só centavo de merda. – Nem para comer –"

"Não quer uns dois dólares para comer alguma coisa?" Peguei minha carteira.

Ele me olhou de soslaio. "Você tem?"

"Dois dólares? É claro."

"Ok."

Ele caiu fora, as mãos metidas nos bolsos das calças, humilde, derrotado, mas com passos velozes, determinados, em linha reta para seu destino e, quando olhei, vi que na verdade ele caminhava extremamente rápido – cabisbaixo, confuso com o mundo e todos os portos do mundo pelos quais perambularia com passos velozes.

Me virei para respirar o grande ar puro dos portos, exultante com a minha boa sorte – me imaginei com o rosto grave voltado na direção do mar, transpondo o último Portão da América Dourada para jamais regressar, vi lençóis de mar cinzento escorrendo de minha proa.

Jamais parei para pensar na sombria, grotesca e furiosa vida real desse extraordinário mundo de trabalho, uau.

COM MEU OLHOS PARA LÁ DE INJETADOS, apareci às dez da noite sem meu equipamento, apenas com meu camarada marinheiro Al Sublette, que celebrava comigo minha "última noite em terra". – Varewski estava sentado no fundo daquele bar profundo sem beber nada, com dois marinheiros borrachos que bebiam. – Ele não tinha tomado uma só gota desde que tínhamos nos separado, e com que disciplina tristonha encarava os copos oferecidos e não oferecidos e todas as explicações. – O turbilhão do mundo estava acima daquele bar quando entrei rodopiando meio enviesado, uma gente de Van Gogh afluindo aos banheiros marrons de paredes de sarrafos, escarradeiras, mesas de dados nos fundos – como nas tabernas da eternidade na Melancólica Lowell e com os mesmos tipos. – Tem sido assim, em bares da Tenth Avenue de Nova York, eu – e Georgie também – as primeiras três cervejas em um crepúsculo de outubro, a vibração dos gritos das crianças nas ruas de ferro, o vento, os navios na margem do rio – a maneira como o ardor da faísca se alastra pela barriga, dando força e transformando esse lugar de absorção séria nos pormenores da luta e das lamentações que é o mundo em uma gigantesca alegria visceral capaz de se dilatar como uma sombra distendida pela distância e com a mesma perda concomitante de densidade e força, de modo que, pela manhã, depois da 30ª cerveja e de dez uísques, além de tolos vermutes matinais pelos telhados, capotas, caves, lugares onde a energia é subtraída, não aumentada, quanto mais você bebe, mais força falsa tem, falsa força é subtraível. – Flup, o homem está morto pela manhã, a felicidade morena e melancólica dos bares e tabernas é o vácuo trêmulo do mundo inteiro, e as terminações nervosas vivendo devagar fustigam mortalmente o centro das tripas, a lenta paralisia dos dedos, das mãos – o espectro e o horror de um homem que outrora foi um bebê rosado e agora é um fantasma aterrorizante na enlouquecedora noite surrealista das cidades, rostos esquecidos, dinheiro jogado fora, comida jogada fora, bebidas, bebidas, bebidas, as milhares de conversas ruminadas na obscuridade. – Oh, a alegria do marinheiro de boné branco ou do ex-marinheiro beberrão urrando em um beco da Third Street em San Francisco sob a lua dos gatos, e mesmo quando o navio solene singra as águas da Golden Gate, o marinheiro de serviço na proa, solitário de camisa branca, voltado para o Japão na ponta da proa com a xícara de café para se manter sóbrio, mesmo então o vadio ranhento das garrafas está pronto para se jogar contra paredes estreitas, invocar sua morte em níveis graduais, encontrar sua tênue fita de amor no banco giratório de bares solitários e soturnos – tudo ilusão.

"Seu filho-da-puta, você está bê-b-b-ado", disse Georgie, rindo, ao me ver cambaleando, com olhar alucinado e dinheiro caindo dos bolsos – esmurrando o balcão. – "Cerveja! Cerveja!" – Mas ele não bebeu. – "Não vou enxugar enquanto não estiver embarcado – dessa vez eles acabariam comigo para sempre, os caras do sindicato ficariam putos e seria adeus, Georgie, seu vagabundo." – E seu rosto estava coberto de suor, os olhos viscosos evitavam o colarinho maduro que coroava os copos de cerveja, os dedos ainda seguravam a bagana quase apagada, todos manchados de nicotina e deformados pelo trabalho do mundo.

"Ei, cara, onde está sua mãe?", gritei ao ver ele tão desamparado, tão garotinho, pequeno e esquecido em toda aquela complicada confusão, tensão e gritaria de bebida, trabalho, suor.

"Está no leste da Polônia com minha irmã. – Não quer ir para a Alemanha Ocidental porque é religiosa e fica em casa e tem orgulho – vai à igreja. – Não mando nada para ela. – De que adiantaria?"

Um amigo dele queria um dólar de mim. – "Quem é esse cara?"

"Qual é, dê um dólar para ele, você está em um navio – ele é marinheiro –" Eu não queria mas dei o dólar e, quando Georgie, eu e o amigo Al saímos, ele me chamou de chupador de pica por ter sido tão relutante. – Com isso voltei atrás para dar uma porrada nele ou pelo menos dar a volta no mar de sua insolência e forçar ele a se desculpar, mas tudo estava tão nebuloso e tive uma sensação de punhos, madeira e cabeças quebradas se chocando, carros de polícia na atmosfera escura e insana. – Cambaleamos até não sei onde, Georgie partiu, era tarde da noite – Al caiu fora – cambaleei pelas solitárias ruas noturnas de San Francisco pensando vagamente que deveria estar no navio às seis, ou o perderia.

ACORDEI ÀS cinco da manhã no meu velho quarto de ferroviário com o tapete puído e a persiana fechada para esconder alguns metros de telhado coberto de fuligem e a tragédia interminável de uma família chinesa cujo filho pequeno vivia, como eu já disse, em um constante tormento de lágrimas, o pai dava palmadas nele todas as noites para que se calasse, a mãe gritava. – Agora ao nascer do dia, um silêncio cinzento no qual explode a conclusão: "Perdi meu navio". – Mas ainda me restava uma hora. – Peguei o saco de marinheiro que já tinha deixado pronto e saí apressadamente – trotei com o saco no ombro sob a névoa cinzenta da fatídica Frisco para pegar o veloz Trem A que atravessa a ponte e vai até a Base Militar. Um táxi quando desci do Trem A, e então cheguei ao navio, cuja chaminé com um "T", inicial de Transfuel, se sobressaía entre a sucata naval cinzenta. – Entrei apressado. – Era um navio preto com botalós cor de laranja e chaminé azul e laranja – WILLIAM H. CAROTHERS – nenhuma vivalma à vista – corri com meu saco de viagem pela prancha que rangia, o joguei no convés, olhei em volta. – Ruídos e vapores da cozinha bem em frente. – Compreendi que teria problemas no instante em que um alemãozinho ratazana de olhos vermelhos começou a berrar comigo por eu estar tão atrasado, eu tinha meu relógio de ferroviário para provar que só havia chegado doze minutos atrasado, mas ele emanava suores rubros de ódio – mais tarde nós o apelidamos de Hitler. – Um cozinheiro de bigodinho bacana se intrometeu:

"Ele chegou apenas doze minutos atrasado. – Vamos tratar do café-da-manhã e depois discutiremos isso." –

"Esses malditos acham que podem chegar tarde e que eu não vou dizer nada. – Você vai trabalhar de copeiro", disse ele subitamente, e sorriu, se congratulando pela bela idéia.

Na copa *merda nenhuma*, pensei em dizer, mas o cozinheiro me agarrou pelo braço: "Você foi escalado para ser camareiro e será camareiro. – Mas só por esta manhã faça o que ele diz. – Quer que ele lave os pratos hoje de manhã?"

"Sim. – Estamos com pouca gente."

E na hora já pude sentir o bafo de um dia quente de Oakland comprimindo minha cabeça de ressaca. – Lá estava Georgie Varewski, sorrindo para mim. – "Vou pegar um avental – seremos colegas esta manhã – vou te ensinar." – Ele me conduziu pelos corredores horrorosos de aço até o guarda-roupa, um calor e tristeza insuportáveis se estiravam por meus ossos, pelo menos nos últimos tempos eu tivera a liberdade dos vadios, estirado à vontade em um hotel de exílio de vagabundos. – Agora eu estava no exército – rapidamente engoli um comprimido de benzedrina para encarar o tranco – salvei meu emprego. – Dos gemidos de horror e da náusea sonolenta na pia, com as pilhas de pratos das vigílias da noite inteira e dos estivadores, mergulhei depois de vinte minutos em uma pungente benevolência ativa e energética, fazendo perguntas a todos, inclusive ao intendente com cara de fuinha, segurava as pessoas pelo braço, me inclinava, escutava os problemas, era amável, trabalhando como um cachorro, fazendo extras, absorvendo todas as instruções que Georgie me dava do desespero da benzedrina ao amor, trabalho, aprendizado. – Suando em bicas no aço.

De repente, me vi refletido no espelho do castelo da proa, cabelo lambido, olheiras, súbito-criado-escravo encasacado de branco em uma barca, eu que uma semana antes caminhava empertigado no trem de Plomteau, tardes ferroviárias em ramais sonolentos de saibro, sinalizando para a locomotiva seguir em frente, fazendo rapidamente a mudança da agulha sem qualquer perda de dignidade. – Aqui eu era um maldito ajudante de cozinha, estava escrito na minha testa engordurada, e ainda por cima com um salário inferior. – Tudo pela China, tudo pelos antros de ópio de Yokohama.

O CAFÉ-DA-MANHÃ DESLIZOU COMO EM UM SONHO, fiz tudo o que devia louco de benzedrina – se passaram 24 horas antes que eu parasse para tirar as coisas do meu saco de viagem e para olhar as águas revoltas e chamá-las de águas de Oakland. –

Fui conduzido a meus alojamentos de camareiro pelo camareiro que estava deixando o serviço, um velho pálido de Richmond Hill, Long Island (quer dizer, ele só tinha tomado banhos de sol sob o convés no reflexo da roupa branca seca recém-lavada e engomada). – Dois beliches em uma cabine localizada horrivelmente perto das chamas exaladas pela casa das máquinas, se tinha a chaminé como travesseiro, era muito quente. – Olhei em volta desesperado. – O velho falou discretamente, me deu uma cutucada: "Se você nunca trabalhou como camareiro, pode ter problemas". – Isso significava que eu devia olhar para sua fisionomia pálida com a maior seriedade, concordar com a cabeça, perscrutar profundamente, me sepultar no vasto cosmos dele, aprender tudo – tudo sobre o serviço de camareiro. – "Se você quiser, vou lhe mostrar onde fica cada coisa, mas não tenho obrigação porque estou de partida – mesmo assim..." – Ele foi embora, levou dois dias para fazer as malas, uma hora inteirinha para enfiar umas meias horrivelmente doentes, tristes convalescentes de cor branca sobre suas esquálidas canelinhas brancas – para amarrar os cadarços – para passar o dedo pelo fundo do armário, pelo chão, pelos anteparos, à procura de qualquer partícula que pudesse ter esquecido de pôr na mala – uma barriguinha doentia se projetava de sua aparência disforme. – Seria assim o camareiro Jack Kerouac em 1983?

"Bem, vá em frente, me mostre como a coisa funciona aqui! Tenho que me mexer –"

"Vá com calma, pegue leve – só o capitão está acordado, e ele ainda nem desceu para o café. – Vou lhe mostrar – veja bem – se você quiser – estou de partida e não tenho obrigação", e ele esqueceu o que ia dizer e retornou às suas meias brancas. – Havia algo de hospitalar nele. – Saí às pressas para encontrar Georgie. – O navio era um vasto e novo pesadelo de ferro – não um doce mar salgado.

E CÁ ESTOU EU tropeçando na escuridão trágica dos corredores da escravidão com vassouras, esfregões, pás, paus, panos se projetando de mim como um porco-espinho triste – meu rosto abatido, preocupado, atento – absorto no mundo etéreo do conforto do submundo, aquele prévio doce leito na sarjeta. – Tenho uma enorme caixa de papelão (vazia) para despejar os cinzeiros dos oficiais e os cestos de papel – tenho dois esfregões, um para o chão dos banheiros, outro para o convés – um pano úmido e um pano seco – turnos de emergência e minhas próprias idéias. – Vou em busca de trabalho freneticamente – gente incompreensiva tenta se acercar de mim pelos corredores para que o navio seja limpo. – Depois de umas poucas vassouradas desleixadas, desanimadas e lúgubres no camarote do imediato, eis que ele aparece vindo do café-da-manhã e conversa afavelmente comigo, está de saída para assumir como comandante de um navio, se sente bem. – Faço um comentário sobre as interessantes anotações a respeito das estrelas que encontrei nos blocos de notas jogados fora em seu cesto de lixo. "Suba até a sala dos mapas", diz ele, "e lá você encontrará centenas de blocos de notas interessantes no lixo". – Mais tarde vou até lá, está trancada. – O comandante aparece – eu o encaro atrapalhado, suado, esperando. – Imediatamente ele vê em mim o idiota do balde, e seu cérebro astuto começa a funcionar.

Era um homem baixo, distinto, de cabelo grisalho, com óculos de aro de chifre, belos trajes esportivos, olhos verde-mar, de aspecto calmo e despretensioso. – Por baixo disso se ocultava um espírito insano, malicioso e pervertido que começou a se manifestar no primeiro momento, assim que ele disse: "Sim, Jack, tudo o que você tem a aprender é fazer seu trabalho direito, e tudo correrá bem – quanto à limpeza, por exemplo – entre aqui e olhe" – ele insistiu para que eu entrasse nos seus aposentos, onde ele poderia falar baixo. – "Quando você – veja bem – você não –" (comecei a perceber sua maluquice nas gagueiras, mudanças de assunto, idéias truncadas) – "você não deve usar o mesmo esfregão para o convés *e* os banheiros", disse ele de forma asquerosa, em um tom asqueroso, quase rosnando, e eu, que um minuto antes tinha me maravilhado com a dignidade de sua função, os grandes mapas sobre sua mesa de trabalho, agora torcia o nariz ao perceber que aquele idiota tinha mania de esfregões. – "Existem coisas como germes, você sabe", disse ele, como se eu não soubesse, e mal sabia ele como eu estava me lixando para seus germes. Lá estávamos nós na manhã portuária da Califórnia tratando desses assuntos em sua cabine imaculada, que parecia um reino comparada com meu cubículo sórdido, o que não faria a menor diferença para ele.

"Sim, farei dessa maneira, não se preocupe – er – cara – comandante – senhor –" (ainda não fazia idéia de como soar com naturalidade nos novos militarismos marítimos). – Os olhos dele piscaram, ele se inclinou para a frente, havia algo corrupto, alguma carta na manga que ele não mostrava. – Percorri os camarotes de todos os oficiais fazendo uma limpeza desleixada, sem de fato saber como fazer, esperando que Georgie ou alguém me ensinasse. – Não deu tempo para uma soneca, à tarde, de ressaca, tive que fazer o trabalho de limpeza do terceiro-cozinheiro na pia da cozinha, com panelas e caçarolas enormes até o homem voltar do sindicato. – Era um armênio grandão de olhar fechado e fixo, gordo, uns cento e vinte quilos: passava o dia beliscando a comida que preparava – batata-doce, pedaços de queijo, frutas, provava de tudo e fazia enormes refeições nos intervalos.

O quarto dele (e meu) era o primeiro do corredor a bombordo, voltado para a proa. – Na porta ao lado ficava o mecânico do convés, Ted Joyner, sozinho; muitas foram as noites no mar em que ele me convidou para um trago em seu quarto, sempre com um ar confidencial na jovial e amigável cara rosada de sulista interiorano – "Para dizer a verdade, *eu* realmente não gosto de tal coisa, e é isso aí, mas, para dizer a verdade, escute bem, não é frescura, para dizer a verdade, é uma simples questão de – bem, realmente não gosto disso e, para dizer a verdade, ah, sem meias palavras – não é, Jack?" – apesar de tudo, era o maior cavalheiro do navio, era do interior da Flórida e também pesava 115 quilos, a questão era quem comia mais, ele ou Gavril, o meu imenso terceiro-cozinheiro companheiro de quarto, acho que era Ted.

Agora vou contar a verdade.

NA PORTA AO LADO ficavam os dois lubrificadores gregos, George era um deles, o outro nunca falava e disse seu nome a muito custo. – George da Grécia, o navio era na verdade uma embarcação grega operando sob bandeira americana, a mesma que mais tarde tremularia inúmeras vezes sobre meu sonho em sestas vespertinas no convés da popa. – Quando eu olhava para George, pensava nas folhas castanhas do Mediterrâneo, antigos portos dourados, ouzos e figos da ilha de Creta ou de Chipre, ele era daquela cor, tinha um bigodinho, olhos verde-oliva e um temperamento radiante. – Era incrível como aceitava todas as piadinhas do resto da tripulação a respeito da predileção dos gregos de fazerem amor por trás – "Ha, ha!", ele se desmanchava de tanto rir. "No rabo, ha, ha." – Seu esquivo companheiro de cabine era um jovem em processo de envelhecimento a olhos vistos – com o rosto ainda juvenil, um bigodinho de sedutor e braços e pernas de aparência ainda juvenil, ele estava cultivando uma barriga totalmente fora de proporção e que parecia maior cada vez que eu o observava depois do jantar. – Presumi que algum caso amoroso fracassado tinha feito ele desistir dos esforços para parecer jovem e sedutor.

O salão de refeições ficava perto do castelo da proa – depois vinha o quarto de Georgie, o do copeiro e o do cara das bebidas, que só apareceu no segundo dia – então, na extremidade dianteira e virados para a proa, o cozinheiro-chefe e o segundo-cozinheiro e padeiro. O cozinheiro chefe era Chauncey Preston, um negro também da Flórida, mas mais para baixo, já nas Keys, e na verdade tinha um ar de índio do Oeste, além do aspecto corriqueiro do negro sulista americano de campos ardentes, sobretudo quando suava ao fogão ou cortava pernis de boi com um cutelo, um cozinheiro excelente e uma pessoa legal, quando eu passava com os pratos ele dizia: "O que você leva aí, amor?", vigoroso e rijo como um boxeador, a silhueta negra perfeita, era inacreditável que ele jamais engordasse com aquelas deliciosas batatas-doces e purês de batatas-doces, guisados de pé de porco e frango assado à moda sulista que ele fazia. – Mas na primeira e deliciosa refeição que ele preparou escutamos a voz profunda, calma e ameaçadora do louro e encaracolado contramestre sueco: "Se não queremos comida muito salgada neste navio, não a queremos muito salgada", e Prez respondeu da cozinha na mesma voz profunda, calma e ameaçadora: "Se não gosta, não coma". Deu para imaginar como seria o resto da viagem...

O segundo-cozinheiro e padeiro era um hipster, um cara do sindicato, isto é, um sindicalista – fã de jazz – com roupas maneiras – gentil, de bigode, elegante, um cozinheiro cor de ouro-pálido dos mares azuis que me disse: "Cara, não dê importância para os bifes e para as proezas desse ou de qualquer outro navio em que você viajar no futuro, simplesmente faça seu trabalho da melhor forma possível e" (piscando o olho) "vai dar tudo certo – rapaz, sou ligado em jazz, você sabe como é, certo?"

"Pode crer."

"Então fica frio, e seremos uma família feliz, você vai ver. O que eu quero dizer, homem, é que são pessoas – isso é tudo – pessoas. – O cozinheiro-chefe Prez é uma pessoa – uma pessoa de verdade – o comandante, o intendente, ok, não. – Nós sabemos disso – ficamos unidos."

"Estou ligado nessa –"

Ele media mais de um metro e oitenta, usava fabulosos sapatos de lona branca e azul, uma fantástica e suntuosa camisa de seda japonesa comprada em Sasebo. – Ao lado do seu beliche tinha um grande rádio portátil Zenith de ondas curtas para pegar todos os sons do mundo, daqui até a ardente Madras – mas não deixava ninguém ligar o rádio a menos que ele estivesse ali.

Meu enorme companheiro de quarto, Gavril, o terceiro-cozinheiro, também era hip, também sindicalista, mas um grande, gordo, solitário, furtivo, desagradável e mal-amado palerma do mar. – "Homem, tenho todos os discos de Frank Sinatra, inclusive *I Cant Get Started*, gravado em Nova Jersey, em 1938."

"Não me diga que as coisas vão melhorar", pensei. E havia Georgie, o maravilhoso Georgie, e a promessa de mil noites bêbadas no cheiroso e misterioso Mundo Oriental verdadeiro cercado pelo mar. – Eu estava preparado.

Depois de lavar panelas e tachos da cozinha a tarde inteira, tarefa que já tinha experimentado em 1942, nos gélidos mares cinzentos da Groenlândia e que agora achava menos aviltante, mais como um adequado mergulho no inferno e uma labuta no calorão por merecida culpa, castigo na água fervente e escaldamento por toda a moleza em que eu estive atirado ultimamente – (e por uma sesta às quatro da tarde, antes dos pratos do jantar) – caí fora para a minha primeira noite em terra na companhia de Georgie e Gavril. Vestimos camisas limpas, nos penteamos, descemos pela prancha de desembarque no frescor do início da noite: assim são os homens do mar.

MAS OH, É TÃO TÍPICO DOS HOMENS DO MAR jamais fazerem nada – apenas desembarcam com grana no bolso e perambulam estupidamente de um lado para o outro e até mesmo com uma espécie de mágoa desinteressada, visitantes de outro mundo, de uma prisão flutuante, em trajes civis e de qualquer forma bastante desinteressantes. – Cruzamos pelos imensos depósitos de mantimentos da marinha – armazéns enormes pintados de cinza, esguichos molhando gramados esquecidos que ninguém queria nem jamais utilizava e que se estendiam entre os trilhos da ferrovia do entreposto da marinha. – Imensas distâncias ao crepúsculo sem ninguém à vista sob a rubra luminosidade. – Tristes grupos de marinheiros saindo a nado do Macrocosmo Gigante em busca do micróbio microcósmico e dos prazeres do centro de Oakland, que na verdade não existem, são apenas ruas, bares, *jukeboxes* com dançarinas de hula havaiana pintadas – barbearias, lojas de bebidas desleixadas, os personagens da vida perambulando por ali. – Eu conhecia o único lugar onde era possível curtir, arrumar mulheres, lá para os lados das ruas dos mexicanos e dos negros que ficavam nos arredores, mas segui Georgie e "Pesado", como começamos a chamar o terceiro-cozinheiro, até um bar no centro de Oakland, onde sentamos na obscuridade sombria, Georgie sem beber, Pesado tamborilando os dedos. – Bebi vinho, não sabia aonde ir, o que fazer.

Encontrei alguns bons discos de Gerry Mulligan na *jukebox* e botei pra tocar.

MAS NO DIA SEGUINTE cruzamos a Golden Gate sob a penumbra cinzenta e nebulosa da hora do jantar, antes que se pudesse perceber já tínhamos contornado as colinas de San Francisco e as perdido sob as ondas cinzentas.

Outra vez a viagem pela Costa Oeste da América e pelo México, só que dessa vez por mar, acompanhando a costa vaga e morena, na qual às vezes, em dias claros, eu podia ver nitidamente os arroios e os desfiladeiros da Southern Pacific onde ela corria ao longo da costa – era como olhar um sonho antigo.

Em algumas noites dormi no convés, em uma cama a céu aberto, e Georgie Varewski dizia: "Seu filho-da-puta, vou acordar uma manhã dessas e você não estará aí – Pacífico maldito, você acha que esse maldito Pacífico é um oceano manso? Qualquer noite dessas vem um vagalhão enquanto você estiver sonhando com garotas e puf, lá se vai você – você será levado pela água".

Sagrados nasceres e sagrados pores-do-sol no Pacífico, com todo mundo a bordo trabalhando calmamente ou lendo nos beliches, todo o trago consumido. – Dias tranqüilos que eu iniciava ao amanhecer com um pomelo cortado em gomos na amurada do navio, e abaixo de mim lá estavam eles, os sorridentes botos, saltando e rabiscando arabescos no ar cinzento e úmido, às vezes sob os temporais que transformavam mar e chuva em uma coisa só. Escrevi um haiku sobre isso:

Inútil, inútil!
– Chuva forte caindo
No mar!

Dias tranqüilos que estraguei porque tolamente troquei meu serviço de camareiro pelo de lavador de pratos, que é o melhor trabalho a bordo por causa do isolamento espumoso, mas que tornei a trocar tolamente pelo de garçom dos oficiais, que era o pior ofício do navio. "Por que você não dá um belo sorriso e diz bom dia?", perguntou o comandante quando larguei os ovos diante dele.

"Não sou do tipo sorridente."

"Isso é jeito de servir o desjejum de um oficial? Coloque o prato devagar, com as duas mãos."

"Certo."

Enquanto isso, o maquinista-chefe berrava: "Cadê o maldito suco de abacaxi? Não quero nenhuma droga de suco de laranja!", e tive que correr até a despensa lá embaixo e quando voltei o imediato estava furioso porque seu café-da-manhã estava demorando. O imediato cultivava um bigodão e pensava que era o herói de um romance de Hemingway que deveria ser servido com toda a pompa.

E quando navegamos pelo canal do Panamá, não consegui desviar os olhos das exóticas e verdes árvores e folhas, palmeiras, cabanas, sujeitos com chapéu de palha, a profunda lama tropical marrom e quente ao longo das margens do canal (com a América do Sul logo depois do pântano, na Colômbia), mas os oficiais gritavam: "Vamos lá, porra, nunca viu o canal do Panamá antes? Mas que inferno, onde está o nosso almoço?"

Navegamos pelo Caribe (azul reluzente) até a baía de Mobile, fomos para Mobile, onde desembarquei, me embebedei com os rapazes e mais tarde fui para um quarto de hotel com a jovem e linda Rose, da Dauphine Street, e perdi uma manhã de trabalho. – Quando Rosy e eu descíamos a Main Street de mãos dadas às dez da manhã (um espetáculo terrível, os dois sem roupa de baixo e sem meias, só minhas calças, o vestido dela, camisetas, sapatos, caminhando bêbados, e ela é uma gracinha), o comandante, que perambulava com sua máquina fotográfica de turista, viu tudo. – De volta ao navio levei uma bronca terrível e me avisaram que eu seria dispensado em New Orleans.

Então o navio parte de Mobile, Alabama, no rumo oeste, para a foz múltipla do Mississippi sob uma tempestade de raios à meia-noite que ilumina os pântanos salgados e vastidões daquele buraco gigantesco onde toda a América despeja seu coração, seu lodo e suas esperanças em uma longa e ruidosa queda d'água no destino final do Golfo, o renascimento do Vazio, dentro da Noite. – Ali estou eu bêbado no colchão do convés olhando para tudo com olhos de ressaca.

E o navio navega ruidosamente Mississippi acima, de volta para o coração da terra americana, onde eu tinha acabado de pegar caronas, maldição, não haveria nenhum exótico Sasebo para mim. Georgie Varewski me olhou e sorriu: "Jackrack filho-da-puta, tomou um porre, hein?". O navio segue e atraca em uma praia calma e verde qualquer, como as praias de Tom Sawyer, em algum lugar acima de La Place, para carregar barris de petróleo para o Japão.

Recebo meu salário de mais ou menos trezentos dólares, junto aos trezentos que tinham sobrado da ferrovia, ponho meu saco nas costas e lá vou eu outra vez.

Olho para dentro do salão de refeições, onde os rapazes estão todos sentados, e nenhum deles olha para mim. – Me sinto estranho – digo: "Bem, quando disseram que vocês vão partir?".

Eles me olham vagamente, com olhos que não me enxergam, como se eu fosse um fantasma. – Quando Georgie me encarou, havia a mesma coisa em seus olhos, algo que dizia: "Agora que já não é mais um membro da tripulação desse barco fantasma, você está morto para nós". "Não podemos arrancar mais nada de você", eu poderia ter acrescentado, relembrando todas as vezes em que tinham implorado por minha companhia em longas e monótonas conversas fiadas nos beliches, os barrigões obesos transbordando como pústulas no horrível calor tropical e nem uma única vigia aberta. – Ou as confidências sebosas de sacanagens sem o menor charme.

Prez, o cozinheiro-chefe negro, foi mandado embora e seguiu para a cidade comigo, nos despedimos nas calçadas da velha New Orleans. – Era um grupo de oficiais racistas – o comandante o pior de todos.

Prez disse: "Bem que eu gostaria de ir para Nova York com você e dar uma chegada no Birdland, mas tenho que arranjar um navio".

Descemos a prancha de desembarque no silêncio da tarde.

O carro do segundo cozinheiro passou zunindo por nós na auto-estrada, na direção de New Orleans.

5. Cenas de Nova York

NESSA ÉPOCA MINHA MÃE morava sozinha em um pequeno apartamento em Jamaica, Long Island, trabalhava em uma fábrica de sapatos, esperando que eu retornasse ao lar para lhe fazer companhia e levá-la ao Radio City uma vez por mês. Mantinha um quarto minúsculo à minha espera, roupa lavada no armário, lençóis limpos na cama. Foi um alívio depois de todos aqueles sacos de dormir, beliches e poeira das estradas de ferro. Foi mais uma das muitas oportunidades que ela me deu durante sua vida para simplesmente ficar em casa e escrever.

Sempre dou a ela tudo o que sobra dos meus pagamentos. Me instalei para longas sonecas sossegadas, para dias inteiros de meditação em casa, para escrever e para extensas caminhadas pela velha e querida Manhattan, a meia hora dali de metrô. Percorri as ruas, as pontes, Times Square, cafés, o cais, visitei todos os meus amigos poetas beatniks e perambulei com eles, tive casos com garotas do Village e fiz tudo isso com aquela imensa e louca alegria que se sente quando se retorna a Nova York.

Tenho escutado grandes cantores negros a chamarem de "A Maçã"!

"Ali está agora a vossa cidade insular dos *manhattoes*, envolta pelo cais", cantou Herman Melville.

"Envolta por marés flamejantes", recitou Thomas Wolfe.

Vistas completas de Nova York por toda parte, de New Jersey, dos arranha-céus.

ATÉ DE BARES, como um bar da Third Avenue – quatro da tarde, os homens riem ruidosamente, copos retinindo junto com os pés na barra de latão do balcão, excitação do tipo "vamos lá, pessoal" – outubro no ar, no sol do veranico na porta. – Entram dois vendedores da Madison Avenue que passaram o dia inteiro trabalhando, jovens, bem-vestidos, roupas justas, charuto na boca, satisfeitos por terem ganho o dia e pelo drinque que está a caminho, avançam lado a lado sorridentes, mas não há espaço no balcão congestionado e barulhento (Merda!), por isso ficam de pé à espera, rindo e conversando. – Os homens amam os bares, e os bons bares merecem ser amados. – Esse aqui está repleto de homens de negócios, operários, Finn MacCools do Tempo. – Velhos beberrões grisalhos de macacão enxugando cerveja alegres. – Caminhoneiros anônimos com lanternas dependuradas no cinto – velhos bebedores de cerveja alquebrados erguendo tristemente os lábios arroxeados para os píncaros felizes da bebedeira. – Os bartenders são rápidos, solícitos, interessados tanto em seu trabalho como na clientela. – Como em Dublin às 4h30 da tarde, quando o trabalho termina, mas aqui é a fantástica Third Avenue de Nova York, almoço grátis, cheiros da rua triste, rio de dejetos, almoço na estrada suja, portas que se fecham, heróis guitarristas de suíças longas, aroma nos degraus de madeira das soleiras do entardecer sonolento. – Mas são as torres de Nova York se erguendo mais além, vozes se chocam e se confundem falando e mastigando a fofoca até Earwicker abrir o jogo – Ah, Jack Fitzgerald Mighty Murphy, onde anda você? –

Trabalhadores braçais semicalvos de camisas azuis remendadas e jeans puídos empunham copos de cerveja de fim de tarde coroados de espuma branca. – O metrô trepida por baixo do bar enquanto o executivo de chapéu e colete mas sem paletó troca o pé esquerdo pelo direito na barra de latão sob o balcão. – Um negro de chapéu, respeitável, jovem, de jornal embaixo do braço, se despede ao balcão, simpático e paternal, se inclinando sobre os outros homens – um ascensorista parado ali no canto. – E não era aqui, segundo contam, que Novak, o corretor de imóveis, costumava ficar de pé até altas horas da noite para se arranjar e enriquecer em sua cela branca de verme noturno datilografando relatórios e cartas, mulher e filhos furiosos em casa às onze da noite – ambicioso, preocupado, em um pequeno escritório da Island, bem ali naquela rua, sem dignidade, mas aberto a qualquer tipo de negócio e na infância qualquer negócio pode ser pequeno e a ambição grande – está agora servindo de adubo para quantas margaridas? e jamais juntou seu milhão, nunca bebeu um copo com *So Long Gee Gee* e *I Love You Too* nessa cervejaria do entardecer com homens eufóricos girando nos tamboretes e arrastando os saltos dos sapatos pela barra de latão em Nova York. Nunca chamou Old Glasses para brindar seu nariz vermelho e batatudo com um trago – jamais sorriu nem permitiu às moscas utilizarem seu nariz como ponto de referência – mas criou uma úlcera no meio da noite para enriquecer e proporcionar o melhor à sua família. – Por isso seu cobertor agora é a melhor porção de terra americana, produzida nos moinhos do saxão com cara de lua de Hudson Bay e trazida até aqui por um pintor de macacão branco (em silêncio) para cercear a jornada de sua outrora una carne, e permitir que os vermes se enterrem nela – Cerca! Vamos lá, mais uma cerveja, seus beberrões – Malditos canequeiros! Amantes!

MEUS AMIGOS E EU temos nossa maneira especial de nos divertirmos em Nova York sem gastar muita grana e principalmente sem sermos importunados por chatos formalistas, como por exemplo uma noitada grã-fina no baile da prefeitura. – Não precisamos apertar mãos, não precisamos marcar encontros e nos sentimos ótimos. – Vagabundeamos sem rumo como crianças. – Entramos nas festas e dizemos a todo mundo o que temos feito, e as pessoas pensam que estamos nos exibindo. – Dizem: "Oh, olhem os beatniks!"

Vai aqui, como exemplo, uma noite típica: –

Emergindo do metrô da 7th Avenue na 42nd Street, você passa pelo mictório mais arrebentado de Nova York – nunca se sabe se está aberto ou não, geralmente há uma enorme corrente atravessada em frente à porta dizendo que está estragado, ou então tem um monstro decrépito de cabelos brancos se arrastando na entrada, um mictório pelo qual todos os sete milhões de habitantes de Nova York já passaram pelo menos uma vez e repararam em sua estranheza – a seguir você cruza pelo novo quiosque de hambúrgueres na brasa, bancas de bíblias, *jukeboxes* automáticas e uma mísera banca subterrânea de revistas usadas ao lado de uma tenda de amendoins cheirando a arcadas de metrô – aqui e ali um exemplar usado do velho bardo Plotino metido entre pedaços de coleções de livros didáticos alemães – onde vendem longos cachorros-quentes de aspecto nojento (não, na verdade são bastante atraentes, principalmente se você não tem quinze centavos e procura alguém na Bickford's Cafeteria que aceite abrir um crédito para você) (que possa emprestar uns trocados).

Depois de subir a escadaria, as pessoas permanecem horas e horas tagarelando na chuva, com os guarda-chuvas encharcados – bandos de garotos de jeans, loucos de medo de entrar no exército, em pé no meio da escada sobre degraus de ferro à espera sabe Deus do que, certamente há entre eles alguns heróis românticos recém-chegados de Oklahoma com ambições de acabar entre suspiros nos braços de alguma jovem loira sexy e imprevisível em uma cobertura do Empire State Building – provavelmente alguns deles estão parados ali sonhando ser donos do Empire State Building por obra e graça de algum passe de mágica com o qual sonharam junto a um regato do interior próximo a uma velha casa caindo aos pedaços nos arredores de Texarkana. – Com vergonha de serem vistos na fila para entrar em um filme de sacanagem (o filme, como se chama?) na calçada em frente ao New York Times – O leão e o tigre passando, como Tom Wolfe costumava dizer a respeito de certos sujeitos cruzando aquela esquina.

Recostado naquela loja de charutos com uma infinidade de cabines telefônicas na esquina da 42nd com a Seventh, onde você dá belos telefonemas observando a rua, e ali dentro parece muito aconchegante enquanto lá fora chove e parece uma boa idéia prolongar a conversação, quem você vê? Equipes de beisebol? Treinadores de basquete? Todos aqueles sujeitos do rinque de patinação vão ali? Caras do Bronx em busca de ação, mas na real a fim de romance? Estranhas duplas de garotas saindo de filmes de sacanagem? Você já as viu alguma vez antes? Ou homens de negócios aturdidos de porre, com chapéus enviesados nas cabeças grisalhas, fitando catatonicamente os letreiros que flutuam no alto do prédio do *Times*, exibindo frases enormes a respeito de Khrushchev, populações da Ásia enumeradas em lâmpadas que acendem e apagam, sempre quinhentos pontos depois de cada frase. – De súbito surge na esquina um policial psicoticamente preocupado e manda todo mundo circular. – Esse é o centro da maior cidade que o mundo jamais conheceu, e isso é o que os beatniks fazem aqui. – "Ficar parado na esquina esperando ninguém é Poder", profetizou o poeta Gregory Corso.

Em vez de ir a boates – se você está na posição de quem pode freqüentar boates (a maioria dos beatniks chacoalha bolsos vazios quando passa pelo Birdland) – como é estranho parar na calçada e apenas observar aquele esquisitão excêntrico da Second Avenue que parece Napoleão ao passar, esmigalhando os pedaços de pão em seu bolso, ou um garoto de quinze anos e cara atrevida, ou alguém que de repente passa zunindo com um boné de beisebol (porque é isso que você vê) e finalmente uma senhora com sete chapéus e um longo casaco de peles esfarrapado em plena noite de verão carregando uma enorme bolsa de lã russa cheia de pedacinhos de papel amassado onde se lê "Festival Foundation Inc., 70.000 Germes" e traças saindo de suas mangas – ela aborda e perturba os *shriners**. E soldados sem guerra com sacos de lona – tocadores de harmônica saídos de trens de carga. – Claro que há nova-iorquinos normais, que parecem ridiculamente deslocados e tão esquisitos quanto sua própria esquisitice elegante, carregando pizzas e jornais diários e a caminho de porões escuros ou trens da Pensilvânia – o próprio W. H. Auden pode ser visto todo atrapalhado sob a chuva – Paul Bowles, alinhado em um terno de poliéster, retornando de uma viagem ao Marrocos, o fantasma do próprio Herman Melville seguido por Bartleby, o autor de Wall Street, e Pierre, o hipster ambíguo de 1848 dando um passeio – para ver o que há de novo nos *flashes* noticiosos do *Times.* – Voltemos à banca de jornais da esquina. – EXPLOSÃO ESPACIAL... O PAPA LAVA OS PÉS DOS POBRES...

* Membro de uma fraternidade norte-americana que só admite cavaleiros templários ou maçons. (N. do T.)

Vamos cruzar a rua até o Grant's, nosso restaurante predileto. Por 65 centavos você descola uma enorme porção de mexilhões fritos, um monte de batatas fritas, uma pequena porção de salada de repolho, um pouco de molho tártaro, uma tacinha de molho vermelho para peixe, uma rodela de limão, duas fatias de pão de centeio e um pedacinho de manteiga, e por mais dez centavos um copo de uma excelente cerveja de raiz de vidoeiro. – Que festim comer aqui! Bandos de espanhóis em pé engolindo cachorros-quentes encostados nos enormes potes de mostarda. – Dez balcões diferentes com diferentes especialidades. – Sanduíches de queijo por dez centavos, dois bares para o Apocalipse, oh sim, e ótimos garçons indiferentes. – E tiras comendo de graça lá nos fundos – saxofonistas bêbados cochilando – respeitáveis punguistas solitários esfarrapados da Hudson Street sorvendo sua sopa sem trocar uma palavra com ninguém, os dedos negros, uau. – Vinte mil clientes por dia – cinqüenta mil nos dias de chuva – cem mil quando neva. – Aberto 24 horas por noite. Intimidade – absoluta, sob uma forte luz vermelha repleta de conversações. – Toulouse-Lautrec, com sua deformidade e sua bengala, rabiscando em um canto. – Você pode ficar ali por cinco minutos e devorar sua comida ou então permanecer horas mantendo uma conversa filosófica insana com seu companheiro e se surpreendendo com as pessoas. – "Vamos comer um cachorro-quente antes de ir ao cinema!", e aí você fica tão doido lá dentro que não vai a cinema nenhum porque aquilo ali é muito melhor do que um filme de Doris Day em férias no Caribe.

"Mas o que faremos esta noite? Marty queria ir ao cinema, mas vamos descolar alguma coisa para fazer a cabeça. – Vamos até o Automat."

"Espera um pouco, preciso engraxar os sapatos em cima de algum hidrante."

"Você não quer dar uma espiada no espelho deformante?"

"Está a fim de tirar quatro fotos por 25 centavos? Afinal, estamos na cena eterna. Poderemos olhar as fotos e recordar disso tudo quando formos velhos e sábios Thoreaus de cabelos grisalhos em cabanas."

"Ah, já não há mais espelhos deformantes por aqui, antigamente tinha espelhos deformantes aqui."

"Que tal o cinema Laff?"

"Também já era."

"Tem o circo de pulgas."

"E ainda tem coristas?"

"O burlesco já acabou há milhões e milhões de anos."

"Vamos até o Automat ver aquelas velhotas comendo feijões, ou os surdos-mudos parados diante da janela enquanto você os observa e tenta decifrar a linguagem invisível à medida que ela voa pela janela, de face para face e de dedo para dedo...? Por que a Times Square parece uma imensa sala?"

Do outro lado da rua fica o Bickford's, bem no meio do quarteirão, sob a marquise do Apollo Theater e ao lado de uma livraria minúscula especializada em Havelock Ellis e Rabelais com milhares de maníacos sexuais remexendo nos caixotes. – O Bickford's é o maior palco da Times Square – muita gente tem perambulado por ali há anos, homens e meninos em busca sabe Deus de que, talvez de algum anjo da Times Square que transforme aquela grande sala em um lar, o velho lar doce lar – a civilização precisa disso. – Aliás, o que a Times Square está fazendo ali? O melhor mesmo é aproveitá-la. – A maior cidade que o mundo jamais viu. – Será que há uma Times Square em Marte? O que a Bolha Assassina faria em Times Square? Ou San Francisco?

Uma garota desce de um ônibus no Port Authority

Terminal e entra no Bickford's, garota chinesa, sapatos vermelhos, senta para beber um chá, à espera do papai.

Há toda uma população flutuante em torno da Times Square que, dia e noite, faz sempre do Bickford's seu quartel-general. Nos velhos tempos da geração beat, alguns poetas costumavam ir até ali para encontrar o famoso personagem "Hunkey", que aparecia de vez em quando, com uma capa de chuva preta grande demais e uma cigarreira, à procura de alguém para vender uma cautela de objetos penhorados – máquina de escrever Remington, rádio portátil, capa de chuva preta – para descolar um trago, (conseguir uma grana) para poder ir para a parte alta da cidade arrumar confusão com os tiras ou com alguns de seus rapazes. Alguns gângsters imbecis da 8th Avenue também costumavam dar as caras por lá – talvez ainda o façam – os dos velhos tempos estão na cadeia ou no cemitério. Agora os poetas vão lá apenas para fumar um cachimbo da paz, à procura do fantasma de Hunkey ou de seus rapazes, e para sonhar diante de desbotadas xícaras de chá.

Os beatniks garantem que, se você fosse lá todas as noites e lá permanecesse, poderia iniciar por si mesmo uma temporada completa de Dostoiévski bem ali na Times Square, conhecer todos os colunistas fofoqueiros dos jornais da madrugada e seus casos, famílias e infortúnios – fanáticos religiosos que levariam você para casa e fariam longos sermões na mesa da cozinha sobre o "novo apocalipse" e idéias assemelhadas: "Meu ministro batista de Winston-Salem disse que Deus inventou a televisão para que, quando Cristo retornar à terra, eles O crucifiquem nas ruas dessa Babilônia daqui, e as câmeras de TV estejam apontadas para a cena, e então o sangue escorrerá pelas ruas, e todos os olhos hão de ver".

Se continuar com fome, vá até a Cafeteria Oriental – também um "restaurante favorito" – um pouco de vida noturna – barato – no subterrâneo bem em frente do monolítico terminal de ônibus de Port Authority na 40th Street, e coma enormes cabeças de carneiro gordurosas com arroz grego por noventa centavos. – Exóticas melodias orientais ondulantes na jukebox.

Dependendo do quão chapado você esteja agora – presumindo que tenha descolado algum lance em uma das esquinas – digamos na 42th Street com 8th Avenue, perto da imensa drogaria Whelan, outro antro solitário onde se pode encontrar algumas pessoas – prostitutas negras, damas de andar vacilante em psicose de benzedrina. – Do outro lado da rua se pode ver as já iniciadas ruínas de Nova York – o Globe Hotel sendo posto abaixo, um buraco como o de um dente caído em plena 44th Street – e o edifício verde da McGraw-Hill arranhando o céu, mais alto do que se possa imaginar – solitário, apontando em direção ao rio Hudson, onde os cargueiros esperam sob a chuva sua pedra calcária vinda de Montevidéu.

O melhor é ir para casa, está ficando tarde. – Ou: "Vamos ao Village ou ao Lower East Side ouvir Symphony Sid no rádio – ou tocar nossos discos indígenas – e comer enormes bifes porto-riquenhos mortos – ou guisado de mondongo – ver se Bruno andou cortando mais capotas de automóveis no Brooklyn – embora Bruno ande mais calmo agora, talvez tenha escrito um novo poema".

Ou ver televisão. Vida noturna – Oscar Levant falando da sua melancolia no programa de Jack Paar.

O Five Spot, na 5th Street com a Bowery, às vezes apresenta Thelonious Monk no piano e a rapaziada aparece por lá. Quem conhece o dono pode se sentar de graça em uma mesa com uma cerveja, quem não conhece pode entrar sorrateiramente e ficar próximo ao ventilador, escutando. Nos fins de semana está sempre lotado. Monk medita em abstração mortífera, *clonk*, faz uma declaração, o pé enorme batendo delicadamente no chão, cabeça virada para o lado, escutando, e então entra o piano.

Lester Young tocou lá pouco antes de morrer e entre um número e outro se sentava na cozinha, nos fundos. Meu amigo poeta Allen Ginsberg foi lá, se ajoelhou e perguntou o que ele faria caso uma bomba atômica caísse em Nova York. Lester respondeu que pelo menos quebraria a vitrine da Tiffany's e apanharia algumas jóias. Também disse: "O que você está fazendo ajoelhado?", sem perceber que era um dos grandes heróis da geração beat, hoje consagrado. O Five Spot é mal-iluminado, tem garçons estranhos e boa música sempre, às vezes John "Train" Coltrane inunda a casa inteira com as notas ásperas de seu grande sax tenor. Nos fins de semana, grupos de gente elegante da parte alta da cidade lotam a casa e conversam sem parar – ninguém liga.

Oh, quem sabe umas duas horas no Egyptian Gardens do Lower West Side, em Chelsea, a zona dos restaurantes gregos. – Copos de ouzo, bebida grega e lindas garotas dançando a dança do ventre com sutiãs bordados com lantejoulas, a incomparável Zara ondulando na pista como um mistério ao ritmo das flautas e ao tilintar das notas gregas – quando não está dançando, Zara se senta na orquestra com olhos sonhadores, os homens batucando um tambor contra o ventre dela. – Vastas multidões do que parecem ser casais de subúrbio se sentam às mesas e acompanham com palmas o flutuante ritmo oriental. – Quem chega atrasado tem que ficar encostado à parede.

Quer dançar? Garden Bar, na 3rd Avenue, onde se pode praticar fantásticas danças bem agitadas na pequena saleta dos fundos ao som de uma *jukebox*, barato, o garçom nem liga.

Quer conversar apenas? Cedar Bar, na University Place, onde aparecem todos os pintores e onde um garoto de dezesseis anos passou uma tarde esguichando vinho tinto de um odre espanhol para dentro da boca dos amigos, errando sempre...

Os clubes noturnos do Greenwich Village conhecidos por Half Note, Village Vanguard, Café Bohemia e Village Gate também apresentam jazz (Lee Konitz, J. J. Johnson, Miles Davis), mas é preciso ter muita grana e não é só isso, é que a triste atmosfera comercial está matando o jazz, e o jazz *está* matando a si mesmo ali, porque o jazz pertence às cervejarias baratas, alegres e abertas a todos, como no início.

Há uma grande festa no loft de um pintor qualquer, um louco som flamengo na vitrola em alto volume, de repente as garotas se tornam todas quadris e calcanhares, e as pessoas tentam dançar entre seus cabelos esvoaçantes. – Homens perdem a cabeça e começam a se agarrar às pessoas, voam objetos pelos ares, uns sujeitos agarram outros pelos joelhos e os erguem a dois metros e meio do chão, se desequilibram, mas ninguém se machuca, blonk. – Garotas se equilibram com as mãos apoiadas nos joelhos dos homens, as saias delas caem, revelando rendinhas em suas coxas. – Por fim todo mundo se veste para voltar para casa, e o anfitrião observa, aturdido: "Vocês parecem todos tão *respeitáveis!*"

Ou alguém fez um lançamento, ou há leitura de poemas no Living Theater, ou no Gaslight Café, ou na Seven Arts Coffee Gallery, nas imediações da Times Square (9th Avenue e 43rd Street, lugar extraordinário) (nas sextas-feiras começa à meia-noite), depois dali todo mundo corre de volta para o velho bar do agito. – Ou então uma festança na casa de Leroi Jones – ele tem um novo exemplar da *Yugen Magazine* impresso por ele mesmo em uma máquina caindo as pedaços, e lá estão os poemas de toda a rapaziada, de San Francisco a Gloucester, Massachussetts, e custa apenas cinqüenta centavos. – Editor histórico, hipster secreto da matéria. – Leroi está começando a ficar farto de festas, todos sempre arrancam a camisa, começam a dançar, três garotas sentimentais se grudam ao poeta Raymond Bremser, meu camarada Gregory Corso discute com um jornalista do *Post* de Nova York e diz: "Mas você não compreende o pranto Canguriano! Abandone sua profissão! Vá se refugiar nas ilhas Enchenedianas!"

Vamos cair fora daqui, é literário demais. – Vamos nos embebedar na Bowery ou comer aquele macarrão comprido com copos de chá no Hong Pat's em Chinatown. – Por que estamos sempre comendo? Vamos dar uma caminhada pela ponte do Brooklyn e abrir o apetite outra vez. – Que tal um pouco de quiabo na Sands Street?

Oh, fantasma de Hart Crane!

"VAMOS VER se encontramos Don Joseph!"

"Quem é Don Joseph?"

Don Joseph é um fantástico trumpetista que perambula pelo Village, de bigodinho e braços caídos segurando o trumpete, que se estala quando ele toca mansamente, ou melhor murmura, o melhor e mais suave dos trumpetes desde Bix e mais. – Ele fica parado junto à *jukebox* do bar e acompanha a música em troca de cerveja. – Parece um galã de cinema. – É o incrível, secreto superglamourouso Bobby Hackett do mundo do jazz.

E tem aquele sujeito, Tony Fruscella, que senta de pernas cruzadas no tapete, toca Bach de ouvido no trumpete, e mais tarde da noite toca com os rapazes em uma sessão de jazz moderno –

Ou George Jones, o oculto da Bowery, que toca um tenor maravilhoso nos parques ao nascer do dia com Charley Mariano, só de curtição, porque amam o jazz, e uma vez no cais, ao nascer do sol, tocaram uma sessão inteira enquanto um sujeito batia com um pedaço de pau na doca para marcar o ritmo.

Falando dos malucos da Bowery, que me dizem de Charley Mills, que percorre a rua com vadios que bebem suas garrafas de vinho cantando em uma escala de doze tons?

"Vamos ver os incríveis e estranhos pintores secretos da América e discutir com eles seus quadros e suas visões – Iris Brodie com sua delicada filigrana bizantina de virgens –"

"Ou Miles Frost e seu touro negro na caverna alaranjada."

"Ou Franz Klein e suas teias de aranha."

"Suas malditas teias de aranha!"

"Ou Willem de Kooning e seu Branco."

"Ou Robert De Niro."

"Ou Dody Muller e sua Anunciação em flores de 2,1 metros de altura."

"Ou Al Leslie e suas telas com cavaletes gigantescos."

"O gigante de Al Leslie está ressonando no edifício da Paramount."

Há um outro grande pintor chamado Bill Heine, é um pintor clandestino realmente secreto, que senta no meio de todos aqueles caras loucos dos cafés da East Tenth Street, que não se parecem em nada com cafés, mas sim com uma espécie de empório de roupas usadas dos porões da Henry Street, com a diferença de que sobre o umbral da porta se vê uma escultura africana ou talvez uma escultura de Mary Frank e lá dentro rodam Frescobaldi na vitrola.

AH, VAMOS VOLTAR PARA O VILLAGE e parar na esquina da Eighth Street com Sixth Avenue para ver os intelectuais passarem. – Repórteres da AP correndo para seus apartamentos de subsolo na Washington Square, colunistas femininas com grandes cães policiais quase rebentando a corrente, detetives solitários passando como sombras, desconhecidos peritos em Sherlock Holmes com unhas azuis a caminho de seus quartos para tomarem escopolamina, um jovem musculoso de terno alemão cinzento barato explicando algo grotesco para sua namorada gorda, grandes redatores educadamente recostados às bancas de jornal a postos para comprarem a primeira edição do *Times*, enormes empregados gordos de mudanças saídos de filmes de 1910 de Charlie Chaplin retornando para casa com imensos sacos transbordando de chop-suey (alimentam todo mundo), o melancólico arlequim de Picasso que agora é dono de uma loja de gravuras e molduras pensando na mulher e no filho recém-nascido e levantando um dedo para chamar um táxi, engenheiros de som balofos apressados com seus gorros de pele, gatas artistas da Columbia com seus problemas à D. H. Lawrence caçando homens de cinqüenta anos, velhos no Kettle of Fish*, e o espectro melancólico da prisão feminina de Nova York que se ergue no horizonte envolta em silêncio como a própria noite – ao pôr-do-sol suas janelas parecem laranjas – o poeta e. e. cummings comprando um pacote de pastilhas para garganta à sombra daquela monstruosidade. – Se está chovendo, você pode ficar debaixo do toldo do Howard Johnson's e observar o outro lado da rua.

O *beatnik* Angel Peter Orlovsky no supermercado cinco portas adiante, comprando biscoitos Uneeda (tarde

* The Kettle of Fish Tavern: bar que existe em Nova York desde os anos 50, embora já tenha mudado de endereço várias vezes. Célebre por seus clientes músicos e roqueiros. (N. do T.)

da noite, sexta-feira), sorvete, caviar, bacon, pretzels, refrigerantes, *TV Guide*, vaselina, três escovas de dentes, leite maltado (sonhando com leitão assado recheado), comprando batatas de Idaho, pão de passas de uva, couve com lagartas por engano e tomates frescos e recolhendo selos vermelhos. – Depois vai para casa falido, joga tudo em cima da mesa, pega um enorme livro de poemas de Mayakovsky, liga o televisor de 1949 em um filme de terror e vai dormir.

E essa é a vida beat na noite de Nova York.

6. Sozinho no topo da montanha

DEPOIS DE TODO ESSE TIPO DE FARRA, e ainda mais, cheguei ao ponto em que precisava de solidão e de desligar a máquina de "pensar" e "curtir" o que chamam de "viver"; tudo o que eu queria era deitar na grama e olhar as nuvens.

Uma escritura antiga também diz: – "A sabedoria só pode ser obtida sob o ponto de vista da solidão".

E de qualquer maneira eu estava completamente farto de todos os navios, ferrovias e Times Squares de todos os tempos.

No Departamento de Agricultura dos Estados Unidos, me candidatei a um emprego como vigia de incêndios na Floresta Nacional de Mount Baker nas High Cascades do Grande Noroeste.

Me arrepiava só de olhar para essas palavras, pensando em pinheiros viçosos à beira de um lago matinal.

Zarpei para Seattle, a quase cinco mil quilômetros do calor e da poeira das cidades do Leste em junho.

QUEM ESTEVE EM SEATTLE e não curtiu o Alaskan Way, a antiga zona das docas, marcou bobeira – as lojas com totens à entrada, as águas do Puget Sound batendo nos velhos píeres, o aspecto escuro e lúgubre dos antigos armazéns e barracões do cais, e as mais antigas locomotivas da América arrastando vagões pela zona portuária dão uma idéia, sob aqueles céus radiantes e sem nuvens do Noroeste, do grande país que está por vir. Viajar de Seattle para o norte pela Rota 99 é uma experiência excitante porque subitamente surgem as Cascade Mountains se erguendo no horizonte do nordeste, verdadeira Komo Kulshan* sob neves inumeráveis. – Os grandes picos cobertos de alvura intocada, um universo de enormes rochedos retorcidos e amontoados e às vezes quase espiralados em formações fantásticas e inacreditáveis.

Tudo isso é visto muito acima dos campos sonhadores dos vales Stilaquamish e Skagit, planícies agriculturáveis de verde pacífico, com solo tão rico e tão escuro que os habitantes da região se gabam orgulhosamente que só fica atrás do Nilo em fertilidade. Em Milltown, Washington, o carro cruza a ponte do rio Skagit. – À esquerda – para o oeste e para o lado do mar – o Skagit corre para a baía de Skagit e mergulha no oceano Pacífico. – Em Burlington, você vira para a direita e segue direto para o coração das montanhas por uma estrada rústica dentro do vale cruzando cidadezinhas sonolentas e um ruidoso centro do mercado agrícola conhecido por Sedro-Woolley, com centenas de carros estacionados obliquamente em uma típica avenida principal de cidade do interior com lojas de ferragens, armazéns de sementes e rações e bazares baratos. – Embrenhando-se pelo vale cada vez mais fundo, surgem penhascos recobertos de mata ao lado da estrada, o rio se estreita e corre mais veloz, verde translúcido puro como o verde do oceano em um dia nublado, mas é a torrente

* Komo Kulshan: nome dos nativos americanos para o monte Baker e personagem de uma lenda nativa. (N. do T.)

sem sal da neve derretida das High Cascades – quase boa para se beber ao norte de Marblemount. – A estrada se torna cada vez mais sinuosa ao chegar a Concret, a última cidade do vale do Skagit, com um banco e um empório de artigos baratos – depois disso as montanhas que se erguem em segredo por trás dos contrafortes ficam tão próximas que já não se pode vê-las, mas você começa a senti-las cada vez mais.

Em Marblemount o rio é uma torrente veloz, obra das montanhas tranqüilas. – Troncos caídos ao lado da água proporcionam lugares perfeitos para sentar e desfrutar uma região fluvial encantadora, as folhas farfalhando ao vento límpido do noroeste parecem se rejubilar, as árvores mais altas dos cumes arborizados dos arredores, varridas e turvadas pelas nuvens passageiras mais baixas, parecem satisfeitas. – As nuvens tomam a forma de rostos de eremitas ou freiras, ou às vezes lembram cães tristes partindo apressados nas asas do horizonte. – Galhos submersos se debatem e gorgolejam na pesada magnificência do rio. Toras passam impetuosas a trinta quilômetros por hora. O ar cheira a pinheiro, serragem, tanino, lodo e gravetos – pássaros zunem como flechas sobre a água à procura de peixes escondidos.

Ao rumar para o norte através da ponte em Marblemount e em direção a Newhalem, a estrada se torna estreita e sinuosa até que finalmente o Skagit aparece se derramando sobre rochas a espumar, e pequenos regatos se despencam das encostas íngremes e o engrossam. – As montanhas se elevam por todos os lados, apenas seus ombros e flancos são visíveis, as cabeças nevadas estão fora da vista.

Em Newhalem a construção de uma estrada ergue uma nuvem de poeira acima das barracas, dos trabalhadores e do equipamento, a represa de lá é a primeira de uma série que compõe o sistema de Skagit, que fornece toda a energia de Seattle.

A estrada termina em Diablo, povoado tranqüilo montado por uma empresa, com chalés e gramados verdes bem cuidados, cercado por picos muito próximos com os nomes de Pyramid, Colonial e Davis. – Ali, um enorme elevador conduz a uma altura de trezentos metros, no nível do lago Diablo e da represa Diablo. – Acima da represa, a água jorra em um jato no qual uma tora extraviada seria arremessada como um palito de dente em um arco de trezentos metros. Aqui finalmente a altitude é suficiente para se começar a ver as Cascades. Reflexos ofuscantes ao norte indicam o lugar onde o lago Ross retrocede até ao Canadá, abrindo um visual impressionante da Floresta Nacional de Mount Baker tão espetacular como qualquer vista das Rochosas do Colorado.

O barco da empresa de energia elétrica da cidade de Seattle parte regularmente de um pequeno cais próximo da represa Diablo e segue para o norte, por entre as íngremes encostas rochosas arborizadas em direção à represa Ross, mais ou menos a meia hora de viagem. Os passageiros são empregados da companhia, caçadores, pescadores e trabalhadores florestais. Abaixo da represa Ross começa a caminhada – é preciso subir uns trezentos metros por uma trilha rochosa até o nível da represa. Aqui o vasto lago se escancara, revelando as balsas de pequenas estâncias de recreação que oferecem quartos e barcos para turistas, e logo a seguir as balsas do Serviço Florestal dos Estados Unidos. Daqui em diante, se você tem a sorte de ser um sujeito rico ou um vigilante de incêndios florestais, penetra na área de preservação ambiental da North Cascade no lombo de cavalos e mulas e pode passar um verão completamente sozinho.

EU ERA VIGILANTE DE INCÊNDIOS e depois de duas noites tentando dormir com o barulho e os balanços das balsas do Serviço Florestal, vieram me buscar em uma manhã chuvosa – um rebocador potente arrastando uma imensa balsa-curral ocupada por quatro mulas e três cavalos, com meus gêneros alimentícios, forragens, baterias e equipamento. – O condutor das mulas se chamava Andy e usava o mesmo velho e desabado chapéu de caubói que tinha usado no Wyoming há vinte anos. "Bem, garoto, agora vamos te levar para onde não poderemos te resgatar – é melhor que você se prepare."

"É exatamente isso que eu quero, Andy, ficar sozinho três meses inteirinhos, sem ninguém para encher meu saco."

"Você diz isso agora, mas mudará de tom depois de uma semana."

Não acreditei nele. – Eu estava em busca de uma experiência que os homens raramente obtêm nesse mundo moderno: solidão completa e tranqüila em meio a um ambiente selvagem, dia e noite, 63 dias e noites para ser exato. Não fazíamos a menor idéia da quantidade de neve que tinha caído na minha montanha durante o inverno, e Andy disse: "Se não nevou muito, você vai ter que caminhar três quilômetros naquela trilha terrível, com dois baldes, todos os dias, ou dia sim dia não. Não te invejo, garoto – eu já estive lá. Um dia está quente, com milhares de insetos, e você quase que assa, e no dia seguinte você é atingido por uma nevascazinha de verão que vem do Hozomeen, que fica bem ali pertinho do Canadá, no seu quintal, e você não consegue colocar lenha no fogão rápido o bastante." – Mas eu tinha uma mochila cheia de pulôveres de gola alta e camisas e calças quentes e meias compridas de lã compradas na zona portuária de Seattle, e luvas e um gorro com cobertor de orelha, e montes de sopas instantâneas e café na minha lista de provisões.

"Devia ter trazido uma garrafa de conhaque, garoto", disse Andy, abanando a cabeça, enquanto o rebocador puxava nossa balsa-curral lago Ross acima, através da comporta de toras e para a esquerda, em direção ao canto norte, sob um imenso manto de chuva das montanhas Sourdough e Ruby.

"Onde fica o Desolation Peak [Pico da Desolação]?", perguntei, referindo-me à minha própria montanha (*Uma montanha para se guardar para sempre,* eu sonhei toda a primavera). (Oh viajante solitário!)

"Hoje você não vai ver o pico a não ser quando estivermos praticamente no cume, e então você já estará tão encharcado que não se interessará mais."

O guarda florestal auxiliar Marty Gohlke, do posto da Guarda Florestal de Marblemount, também estava conosco e me dava dicas e instruções. Ninguém parecia cobiçar o Desolation Peak a não ser eu. Depois de duas horas enfrentando ondas tempestuosas do longo lago fustigado pela chuva, com soturnas florestas nebulosas se erguendo íngremes em ambas as margens e as mulas e cavalos com o focinho metido nos sacos de ração e suportando pacientemente a chuvarada, chegamos ao sopé da trilha do Desolation, e o homem do rebocador (que nos proporcionou um bom café quente na cabine do piloto) manobrou de maneira a encostar a balsa de lado em uma ladeira lamacenta e íngreme, repleta de arbustos e árvores caídas. – O condutor deu uma palmada na primeira mula, que saltou para frente com o fardo duplo de baterias e enlatados, apoiou as patas dianteiras na lama, escorregou, deslizou, quase caiu no lago e finalmente deu uma arrancada mais forte, partiu deslizando e desapareceu no nevoeiro para esperar as outras mulas e o dono na trilha. – Desembarcamos todos, desamarramos a balsa, acenamos para o cara do rebocador, montamos nos cavalos e começamos a jornada, uma turma triste pingando sob a chuva forte.

De início a trilha, subindo sempre escarpada, estava tão densamente tomada pelo mato que levávamos uma ducha atrás da outra na cabeça e nos joelhos. – A trilha também estava cheia de pedras redondas que faziam os animais escorregar. – Em determinado ponto, uma enorme árvore caída nos impediu de ir adiante até que o velho Andy e Marty avançassem com machados e abrissem um pequeno atalho contornando a árvore, suando, praguejando e cortando, enquanto eu cuidava dos animais. – Eles terminaram logo, mas as mulas ficaram receosas por causa da inclinação irregular do atalho e tiveram que ser tocadas a pau. – Em seguida a trilha atingiu prados alpinos salpicados de tremoceiros azuis na névoa espessa e minúsculas papoulas vermelhas, botõezinhos de flor tão delicados quanto os desenhos de uma pequena xícara de chá japonesa. – Agora a trilha ziguezagueava em curvas amplas prado acima. – Em breve vimos o vasto cume nublado de um penhasco rochoso mais acima, e Andy gritou: "Quando chegarmos lá vai faltar pouco, mas até lá ainda são mais seiscentos metros, embora pareça que é só esticar o braço e tocá-lo!"

Desembrulhei meu poncho de náilon e o enrolei na cabeça, e secando um pouco, ou melhor, deixando de pingar, segui a pé ao lado do cavalo para aquecer o sangue e comecei a me sentir melhor. Mas os outros rapazes continuaram cavalgando na chuva, cabisbaixos. Quanto à altitude, tudo o que posso falar é sobre alguns pontos assustadores ocasionais da trilha onde podíamos olhar para baixo e vislumbrar as copas distantes das árvores.

O prado alpino atingiu a linha da floresta e subitamente uma grande ventania arrojou rajadas de granizo contra nós. – "Estamos nos aproximando do topo agora!", gritou Andy – e de repente surgiu neve na trilha, os cavalos começaram a patinar em uma pasta de lama e neve derretida de trinta centímetros de espessura, e à esquerda e à direita era tudo um branco ofuscante sob o nevoeiro cinzento. – "Estamos agora a uns mil e setecentos metros de altitude", disse Andy, enrolando um cigarro enquanto cavalgava na chuva.

Descemos, depois subimos mais um pouco, descemos outra vez, uma nova subida lenta e gradual, e então Andy gritou: "Lá está ela!", e acima, na penumbra do cume da montanha, vi um pequeno barraco de telhado pontiagudo, isolado no topo do mundo, e engoli em seco amedrontado:

"Aquilo é a minha casa durante todo o verão? E o verão é *isso!*"

O interior do barraco era mais miserável ainda, úmido e sujo, com restos de comida e revistas estraçalhadas pelos ratos e ratazanas, o chão enlameado e as janelas impenetráveis. – Mas o velho e duro Andy, que durante toda sua vida tinha passado por situações desse tipo, fez um fogo crepitante no fogão bojudo e me mandou aquecer uma chaleira de água com quase meia lata de café dentro, dizendo: "Café não presta a não ser que seja *forte!*", pouco depois o café ferveu com uma espuma castanha agradável e aromática, pegamos nossas canecas e bebemos tudo.

Nesse meio tempo, subi no telhado com Marty, tirei o balde da chaminé, coloquei a vara do tempo com o anemômetro e fiz mais algumas arrumações – quando voltamos para dentro, Andy fritava presunto com ovos em uma grande frigideira e tínhamos quase uma festa. – Lá fora, os animais ruminavam pacientemente com os sacos de ração enfiados no focinho, satisfeitos por descansarem junto a uma velha cerca do curral, feita de troncos por algum vigilante do Desolation dos anos 30.

A escuridão baixou, incompreensível.

Na manhã cinzenta, depois de eles terem dormido no chão em seus sacos de dormir e eu no único catre, dentro de meu saco, como uma múmia, Andy e Marty partiram, rindo e dizendo: "Bem, o que você está achando agora, hein? Estamos aqui há doze horas, e você ainda não conseguiu ver além de três metros!"

"Meu deus, é verdade, como é que farei para localizar incêndios?"

"Não se preocupe, rapaz, estas nuvens se dissiparão, e você terá uma visão de cento e tantos quilômetros em todas as direções."

Não acreditei e fiquei arrasado, e passei o dia tentando limpar o barraco ou dando vinte cuidadosos passos em cada direção no meu "pátio" (cujas extremidades pareciam ser quedas livres em precipícios silenciosos) e fui cedo para a cama. – Mais ou menos na hora de dormir vi minha primeira estrela, rapidamente, e então nuvens gigantescas e fantasmagóricas se acumularam em torno de mim, e a estrela sumiu. – Mas nesse instante tive a sensação de ver um quilômetro e meio dentro do bojo do lago cinza-escuro lá embaixo, onde Andy e Marty estavam outra vez no barco do Serviço Florestal, que os pegou ao meio-dia.

No meio da noite acordei bruscamente com os cabelos em pé – vi uma enorme sombra negra na minha janela. – Depois vi que havia uma estrela acima dela e percebi que se tratava do monte Hozomeen (2.425 metros) espiando pela minha janela a quilômetros de distância, lá perto do Canadá. – Levantei do catre soturno com os ratos a roer embaixo dele, saí e fiquei pasmo ao ver vultos negros de montanhas se agigantando ao redor, e não apenas isso, mas também a cortina ondulante das luzes do norte se movendo por trás das nuvens. – Foi um pouco demais para um garoto urbano – o medo de que o Abominável Homem das Neves pudesse estar respirando às minhas costas, no escuro, me fez voltar para a cama e enterrar a cabeça dentro do saco de dormir. –

Mas pela manhã – domingo, 6 de julho – fiquei surpreso e eufórico ao ver o céu azul límpido e ensolarado e lá embaixo, como um mar de neve radiante e pura, as nuvens dispostas como uma cobertura de marshmallow sobre o mundo todo e o lago inteiro, enquanto eu permanecia sob o sol cálido, em meio a centenas de quilômetros de picos alvos de neve. – Fiz café, cantei e bebi uma xícara no sonolento e tépido degrau da porta.

Ao meio-dia as nuvens se dissiparam e o lago surgiu lá embaixo, inacreditavelmente belo, uma piscina de perfeito azul com quarenta quilômetros de comprimento ou mais, e os córregos como córregos de brinquedo, e a mata verde e viçosa por toda a parte, e até os alegres rastros líquidos dos barcos de pesca dos veranistas que riscavam o lago e as lagunas. – Uma tarde ensolarada perfeita, e atrás do barraco descobri um campo de neve suficientemente grande para me fornecer baldes de água fresca até fins de setembro.

Meu trabalho era localizar incêndios. Certa noite, uma terrível tempestade de raios fustigou toda a Floresta Nacional de Mount Baker sem que caísse uma gota de chuva. – Quando vi aquela ominosa nuvem negra relampejando furiosamente na minha direção, desliguei o rádio, estendi a antena no chão e esperei pelo pior. – Hiss! hiss!, dizia o vento, trazendo a poeira e os raios cada vez mais perto. – Tique!, respondeu o pára-raios, captando uma descarga de eletricidade de um relâmpago perto do pico Skagit. – Hiss! Tique! Em minha cama, senti a terra tremer. – Vinte e cinco quilômetros ao sul, a leste do pico Ruby, em algum lugar nas proximidades de Panther Creek

[Riacho da Pantera], um grande incêndio se alastrou, uma enorme mancha cor de laranja. – Às dez horas, outro raio caiu ali e as chamas se ergueram perigosamente.

Eu devia registrar a área geral da queda dos raios. – À meia-noite já estava há tanto tempo observando atentamente pela janela escura que comecei a ter alucinações e ver incêndios por toda a parte, três deles ali mesmo em Lightning Creek [Riacho do Relâmpago], fantasmas fosforescentes de fogo verticais alaranjados que pareciam ir e vir.

Pela manhã, em 117º 16', onde eu havia visto o grande incêndio, havia uma estranha mancha marrom na rocha nevada mostrando onde o fogo se tinha se alastrado e crepitado sob a chuva que caiu durante toda a noite depois dos relâmpagos. Mas o resultado dessa tempestade foi desastroso a 25 quilômetros de distância, em McAllister Creek, onde um imenso braseiro sobreviveu à chuva e na tarde seguinte explodiu em uma nuvem que se via de Seattle. Fiquei com pena dos caras que tinham que combater aqueles incêndios, os bombeiros que saltavam de pára-quedas dos aviões e as equipes de terra que avançavam pelas trilhas a pé, galgando e escalando rochas escorregadias e encostas de rochas soltas, chegando suados e exaustos apenas para enfrentar uma parede de calor tão logo a alcançassem. Como vigia, era a maior moleza, eu tinha apenas que me concentrar em informar a localização exata (encontrada por meio de instrumentos de precisão) de todos os focos de incêndio que detectasse.

Na maioria dos dias, porém, era a rotina que me mantinha ocupado. – Todas as manhãs, mais ou menos às sete, eu fervia uma chaleira de café sobre um punhado de gravetos, saía para o pátio alpino com uma xícara de café presa pelo polegar e, sossegadamente, conferia a velocidade e a direção do vento, a temperatura e a umidade

– então, depois de cortar lenha, comunicava por rádio os resultados da leitura ao posto de Sourdough. – Por volta das dez da manhã, eu geralmente ficava a fim do café-da-manhã, fazia panquecas deliciosas e as comia na minha mesinha, enfeitada por ramos de tremoceiro das montanhas e brotos de abetos.

O início da tarde era geralmente a hora da minha grande curtição diária: pudim instantâneo de chocolate e café quente. – Por volta das duas ou três horas, me deitava de costas na grama e observava as nuvens a passar, ou colhia amoras silvestres e comia ali mesmo. O volume do rádio era alto o bastante para que eu escutasse qualquer chamada para Desolation.

Ao pôr-do-sol, eu improvisava meu jantar abrindo latas de batata-doce, presunto e feijão ou então apenas sopa de feijão que comia com broas de milho assadas na chapa de alumínio em cima do fogão a lenha. – Depois saía, ia até a escarpa coberta de neve e recolhia dois baldes para a tina de água e catava um punhado de lenha caída da colina como a proverbial velhinha do Japão. Colocava panelas com restos de comida para os coelhos e esquilos embaixo do barraco e no meio da noite os escutava andar por lá. Ratos desciam do sótão e também comiam um pouco.

Às vezes eu gritava perguntas às rochas e às árvores e através dos desfiladeiros, ou cantava como um tirolês. – "O que significa o vazio?" A resposta era o silêncio perfeito, e então eu entendia.

Antes de deitar, lia à luz do candeeiro de querosene todo e qualquer livro que encontrasse no barraco. – É surpreendente como as pessoas isoladas ficam famintas por livros. – Depois de ler detidamente todas as palavras de um volume de medicina e as versões resumidas de peças de Shakespeare feitas por Charles e Mary Lamb, subi para o pequeno sótão e juntei velhos livros de bolso de caubóis e revistas que os ratos tinham destroçado – também joguei pôquer com três jogadores imaginários.

Pouco antes de deitar, aquecia uma xícara de leite com uma colher de mel quase até ferver, e esse era o meu trago para a hora de deitar, depois me enroscava no meu saco de dormir.

Nenhum homem deveria passar pela vida sem experimentar pelo menos uma vez a saudável e até aborrecida solidão em um lugar selvagem, dependendo exclusivamente de si mesmo e, com isso, aprendendo a descobrir sua verdadeira força oculta. – Aprendendo, por exemplo, a comer quando tem fome e a dormir quando tem sono.

A hora de deitar era também meu momento de cantar. Caminhava para cima e para baixo na trilha já muito percorrida na penumbra da minha rocha cantando a plenos pulmões todas as músicas de que conseguia me lembrar, sem ninguém para ouvir, exceto o cervo e o urso.

No entardecer rubro, as montanhas eram sinfonias de neve rosada – Jack Mountain [Montanha do Jack], Three Fools Peak [Pico dos Três Tolos], Freezeout Peak [Pico do Congelamento], Golden Horn [Chifre Dourado], Mt. Terror [Monte do Terror], Mt. Fury [Monte da Fúria], Mt. Despair [Monte do Desespero], Crooked Thumb Peak [Pico do Polegar Torto], Mt. Challenger [Monte Desafiador] e o incomparável Mt. Baker [Monte Baker], maior do que o mundo, ao longe – e meu pequeno Jackass Ridge [Morro do Burro], um complemento de Desolation Ridge [Morro da Desolação]. – Neve cor-de-rosa, e nuvens distantes e franzidas como antigas cidades remotas do esplendor da terra do Buda, e o vento trabalhando incessantemente – fiuuu, fiuuu – ressoando, às vezes chacoalhando meu barraco.

Para o jantar eu fazia chop-suey, assava alguns biscoitos e punha os restos em uma panela para os veados que vinham na noite enluarada e mordiscavam como grandes e estranhas vacas da paz – um macho de guampas compridas, fêmeas e filhotes também – enquanto eu meditava na erva alpina fitando o lago mágico com alamedas de luar. – Eu podia ver abetos refletidos no lago enluarado mil e quinhentos metros abaixo, de cabeça para baixo, apontando para o infinito. –

E todos os insetos silenciavam em homenagem à lua.

Vi 63 poentes refletidos naquele monte perpendicular – poentes loucos e fogosos despejando-se como espuma do mar de nuvens através de penhascos inimagináveis, como os penhascos cinzentos que se costuma desenhar quando criança, com todos os tons róseos da esperança ao longe, fazendo com que você se sinta exatamente como eles, brilhante e soturno muito além das palavras.

Manhãs frias com nuvens encapeladas desprendendo-se de Lightning Gorge [Desfiladeiro do Relâmpago] como fumaça de um incêndio gigantesco, mas o lago celeste como sempre.

Agosto chega com rajadas que sacodem a casa e auguram pouca agosticidade – depois aquela sensação de ar nevado e fumaça de lenha –, então a neve chega varrendo o caminho desde o Canadá, o vento aumenta, e nuvens escuras e baixas se precipitam como se saíssem de uma forja. De repente, um arco-íris verde-rosa surge bem no cume, com nuvens vaporosas ao redor e um sol cor de laranja tremeluzente...

O que é um arco-íris,
Senhor? – um arco
Para os humildes

...e você sai, e de repente sua sombra é silhuetada pelo arco-íris enquanto você caminha pelo topo do morro, um mistério encantador aureolado que lhe dá vontade de rezar.

Uma folha de grama farfalhando nos ventos do infinito, presa a uma rocha, e nenhuma resposta para sua pobre carne branda.

Sua lamparina a óleo ardendo no infinito.

CERTA MANHÃ encontrei bosta de urso e rastros onde o monstro apanhara uma lata de leite congelado e a esmagara entre as patas e mordera com os dentes afiados tentando extrair a pasta. – Na aurora envolta pela neblina olhei para o misterioso Ridge of Starvation [Morro da Inanição] lá embaixo, com seus abetos perdidos no nevoeiro e colinas enrugadas na invisibilidade, o vento soprando a névoa como uma nevasca sufocante, e percebi que em algum lugar sob a névoa o urso se aproximava sorrateiro.

E me pareceu, enquanto permanecia ali sentado, que aquele era o Urso Primordial, e que ele dominava todo o Noroeste e todas as neves e era o senhor de todas as montanhas. – Era o Rei Urso, que poderia esmagar minha cabeça com suas patas e quebrar minha espinha como um graveto, e aquele era seu lar, seu quintal, seus domínios. – Embora eu vigiasse todo o dia, ele não se mostrava no mistério daquelas silenciosas escarpas nebulosas – ele rondava à noite entre lagos desconhecidos, e no raiar do dia a pura luz perolada que toldava as encostas de abetos o fazia pestanejar reverentemente. – Tinha atrás de si milênios de perambulações, tinha assistido aos índios e aos casacos vermelhos chegarem e partirem, e veria muito mais. – Escutava constantemente a investida tranqüilizante e arrebatadora do silêncio, exceto perto dos regatos, estava consciente da tênue substância da qual o mundo é constituído, embora jamais discursasse, nem se comunicasse por sinais, nem desperdiçasse o fôlego se queixando – simplesmente satisfazia seu apetite, distribuía patadas e avançava pesadamente sobre troncos caídos, sem ligar para elementos animados ou inanimados. – Sua grande boca mastigava à noite, eu podia ouvir através da montanha sob a luz das estrelas. – Em breve ele sairia do nevoeiro, enorme, e viria perscrutar minha janela com imensos olhos faiscantes. – Era Avalokitesvara, o Urso, e seu sinal era o vento cinzento de outono.

Eu estava à espera dele. Ele nunca apareceu.

FINALMENTE AS CHUVAS DE OUTONO, noites inteiras de chuvas torrenciais sopradas pelo vento enquanto eu deitava aquecido como uma torrada dentro do meu saco de dormir, e claros dias outonais gélidos e turbulentos, com vento forte, nevoeiros céleres, nuvens velozes, brilho de sol súbito, luz pristina em retalhos da montanha, e meu fogo crepitando enquanto eu exulto e canto a toda voz. – Do lado de fora da minha janela um esquilo varrido pelo vento está sentado nas patas traseiras sobre uma rocha, mãos unidas, mordisca uma espiga de aveia que segura entre as patas – pequeno senhor de tudo o que inspeciona.

Pensando nas estrelas noite após noite começo a perceber que "As estrelas são palavras" e todos os incontáveis mundos da Via Láctea são palavras, e esse mundo também o é. E percebo que não importa onde eu esteja, seja em um quartinho repleto de idéias ou nesse universo infinito de estrelas e montanhas, tudo está na minha mente. Não há necessidade de solidão. Por isso, ame a vida pelo que ela é e não forme idéias preconcebidas de espécie alguma em sua mente.

QUE ESTRANHOS E DOCES PENSAMENTOS brotam nas solidões montanhosas! – Certa noite percebi que, quando tratamos as pessoas com compreensão e estímulo, uma expressão de humildade estranha e infantil lhes perspassa os olhos envergonhados, não importa o que estivessem fazendo, não estavam certas de que fosse correto – cordeirinhos espalhados por toda a face desta terra.

Visto que, ao compreender que Deus é Tudo, você percebe que deve amar tudo por pior que seja, em última análise nada é bom nem mau (pense na poeira), é apenas *o que é*, ou seja, o que se faz parecer. – Uma espécie de drama para ensinar algo a alguma coisa, alguma "substância menosprezada do mais divino dos shows".

E percebi que não era necessário me esconder na desolação e que podia aceitar a sociedade para o que desse e viesse, como uma esposa – vi que, se não fosse pelos seis sentidos, visão, audição, olfato, tato, gosto e pensamento, a individualidade disso tudo, que é não-existente, simplesmente não haveria nenhum fenômeno para apreender, na verdade não haveria seis sentidos nem individualidade. – O medo da extinção é muito pior do que a própria extinção (a morte). – Perseguir a extinção no velho sentido nirvânico do budismo é em última análise uma bobagem, como os mortos indicam no silêncio de seu sono bem-aventurado na Mãe Terra que, de qualquer maneira, é um Anjo suspenso no Céu.

Eu simplesmente me deitava nos campos da montanha ao luar, com a cabeça na grama, e ouvia o reconhecimento silencioso das minhas angústias passageiras. – Sim, desse modo, tentar *atingir* o Nirvana quando você já está nele, atingir o topo de uma montanha quando já está lá e tem apenas que permanecer – assim, *permanecer* na bem-aventurança nirvânica é tudo o que tenho a fazer, que você tem a fazer, sem esforço, sem caminho realmente, sem disciplina, mas apenas saber que tudo é vazio e desperto, uma Visão e um Filme na Mente Universal de Deus *(Alaya-Vijnana)* e permanecer mais ou menos sabiamente em meio a isso. – Porque o silêncio em si é o som dos diamantes que podem cortar tudo, o som da Vacuidade Sagrada, o som da extinção e da bem-aventurança, esse silêncio de cemitério que é como o silêncio do sorriso de um bebê, o som da eternidade, da beatitude na qual certamente é preciso acreditar, o som de jamais-houve-nada-senão-Deus (que em breve eu ouviria em uma ruidosa tempestade no Atlântico). – O que existe é Deus em Sua Emanação, o que não existe é Deus na Sua serena Neutralidade, o que nem existe nem não existe é a divina e imortal aurora primordial do Céu Pai (este mundo neste exato instante). – Por isso eu disse: – "Permaneça nisso, aqui não existem dimensões para quaisquer das montanhas ou mosquitos ou vias lácteas inteiras de mundos".

Porque sensação é vazio, envelhecimento é vazio. – Tudo é apenas a Dourada Eternidade da Mente de Deus; por isso pratique a bondade e a compreensão, lembre que os homens *não são responsáveis por si mesmos*, por sua ignorância e maldade, se deve ter pena deles, Deus se compadece porque o que há para dizer a respeito de qualquer coisa visto que tudo é apenas o que é, livre de interpretações? – Deus não é "aquele que alcança", ele é o "viajante" naquilo em que tudo é, o "que subsiste" – uma lagarta, mil cabelos de Deus. – Portanto, saiba sempre que isto é apenas você, Deus, vazio, desperto e eternamente livre como os incontáveis átomos da vacuidade em todos os lugares.

Decidi que, quando retornasse ao mundo lá embaixo, tentaria manter minha mente límpida em meio às obscuras idéias humanas que fumegam como fábricas no horizonte através do qual eu caminharia, em frente...

Em setembro, quando desci, um gélido aspecto dourado surgira na floresta como um augúrio de frios repentinos, geadas e eventuais nevascas uivantes que cobririam meu barraco por completo a não ser que aqueles ventos do topo do mundo a conservassem intacta. Quando cheguei à curva da trilha onde meu barraco desapareceria e eu desceria até o lago para encontrar o barco que me levaria dali para casa, me virei e abençoei o Desolation Peak [Pico da Desolação] e o pequeno pagode no cume e agradeci a eles pelo abrigo e pela lição que me ensinaram.

7. Grande viagem à Europa

POUPEI CADA CENTAVO e então torrei tudo subitamente em uma grande e gloriosa viagem à Europa ou a outro lugar qualquer, e me senti leve e feliz também.

Levou alguns meses, mas finalmente comprei uma passagem em um cargueiro iugoslavo que partiu do Busch Terminal do Brooklyn para Tânger, Marrocos.

Zarpamos em uma manhã de fevereiro de 1957. Eu tinha uma cabine dupla só para mim, todos os meus livros, paz, sossego e estudo. Finalmente seria um escritor que não teria que trabalhar para os outros.

Cidades de tanques de gasolina da América desaparecendo por trás das ondas, lá vamos nós através do Atlântico em uma jornada que leva doze dias até Tânger, esse sonolento porto árabe do lado de lá – e depois que a terra ondulada do Ocidente recua para trás do cabo, bang, damos de cara com uma tempestade que piora sem parar até quarta-feira de manhã, as ondas com dois andares de altura entram pela proa, se espatifando e espumando na escotilha do meu camarote com força suficiente para aterrorizar qualquer velho lobo do mar, e aqueles pobres iugoslavos lá fora prendendo a carga solta e dando duro nas adriças e nas cordas enroscadas que assoviam naquela grotesca tormenta bórea salgada, blam, e só bem mais tarde descobri que aqueles rijos eslavos mantinham dois gatinhos escondidos lá embaixo, e depois de a tempestade amainar (e de eu ter visto a resplandecente visão cristalina de Deus nos tremores de minha mente ao pensar que talvez tivéssemos que baixar os botes salva-vidas na balbúrdia desesperada do mar revolto – pum, pum, pum, as ondas chegando cada vez mais fortes e mais altas até quarta-feira pela manhã, quando olho pela minha escotilha depois de tentativas fracassadas de dormir de bruços com travesseiros dos dois lados para evitar que eu caísse, olho e vejo uma onda tão imensa e digna de Jonas avançando sobre mim vinda de estibordo que nem posso acreditar, nem posso acreditar que embarquei naquele cargueiro iugoslavo para minha grande viagem à Europa justamente no momento errado, era apenas o barco que me levaria de fato para a outra margem, para me juntar a Hart Crane naqueles jardins submarinos de coral), os pobres gatinhos, contudo, quando a tempestade amainou e a lua nasceu se mostrando como uma azeitona escura que profetizava a África (oh, a história do mundo está repleta de azeitonas), cá estão os dois gatinhos, sentados de frente um para o outro em uma calma escotilha às oito horas sob o calmo luar da Bruxa do Mar de Popeye e finalmente consigo convencê-los a entrar na minha cabine e ronronar em meu colo enquanto dali em diante seguimos em um balanço suave para a outra costa, a costa africana e não aquela para onde a morte nos conduzirá. – Mas durante a tempestade não fui tão valentão como sou agora ao escrever sobre ela, fiquei certo de que era o fim e vi que tudo é Deus, que jamais existiu nada senão Deus, o mar raivoso, o pobre e arruinado barco solitário navegando para além de todos os horizontes com o longo corpo torturado e sem nenhuma concepção arbitrária de quaisquer mundos despertos nem de quaisquer miríades de anjos em flor conduzindo Devas e honrando o lugar onde o Diamante foi estudado, sendo arremessado como uma casca de noz naquele vazio uivante, mas ainda em tempo despontaram as colinas encantadoras e as coxas de mel dos namorados da África, os cães, gatos, galinhas, berberes, cabeças de peixe e os carpideiros do mar de longas tranças crespas com sua estrela Maria e as alturas misteriosas da casa branca do farol – "O que foi aquela tempestade, afinal?", consegui perguntar por sinais e no inglês porco de meu camareiro louro, e ele disse apenas: "BOORAPOOSH! BOORAPOOSHE!", com um trejeito suíno nos lábios, o que mais tarde soube por uma passageira que falava inglês que significava apenas "Vento Norte"* , o nome que se dá ao vento norte no Adriático.

O único passageiro do navio além de mim é uma mulher de meia-idade feia e de óculos, uma espiã russa-iugoslava da cortina de ferro que com certeza embarcou comigo para poder estudar meu passaporte em segredo na cabine do comandante à noite e então falsificá-lo e por isso finalmente jamais vou chegar a Tânger, vou ser escondido no porão e levado para sempre para a Iugoslávia, nunca mais ninguém vai ouvir falar em mim, e a única coisa que não suspeito da tripulação do navio vermelho (com sua estrela vermelha do sangue das Rússias na chaminé) é de ter provocado a tempestade que quase nos liquidou e nos fez soçobrar no mar cor de azeitona, e foi assim terrível, de fato depois comecei a ter alucinações paranóicas em sentido contrário, imaginando que eles mantinham conselhos secretos à luz da lanterna

* O vento norte também é chamado de Bóreas. (N. do T.)

balouçante do castelo de proa, comentando: "Aquele mísero capitalista americano que está a bordo é um Jonas, a tempestade veio por causa dele, vamos jogá-lo ao mar", e assim fico deitado em meu beliche que balança violentamente de um lado para outro sonhando com o que aconteceria se eles me jogassem naquele oceano lá fora (com rajadas de 130 quilômetros por hora se desprendendo da crista de ondas altas o suficiente para submergir o Bank of America), como a baleia, caso conseguisse me alcançar antes que eu afundasse de cabeça para baixo, me engoliria e me deixaria em suas vísceras sinistras para me atirar pela ponta de sua língua (oh Deus Todo-Poderoso) em alguma costa pelo caminho, no último retorcido recanto proibido e inatingível da beira-mar, ficarei deitado na praia, um Jonas, com minha visão aterradora das costelas da baleia – na vida real, porém, tudo o que se passou foi que os marinheiros não estavam muito preocupados com o mar imenso, para eles era apenas outro boorapoosh, apenas aquilo que chamam de "muuuito mau tempo", e na sala de jantar lá estou eu sozinho todas as noites em uma mesa comprida de toalha branca com a espiã russa, encarando ela de frente, em uma disposição continental de lugares que me impede de relaxar na cadeira e olhar para o vazio enquanto como ou aguardo o próximo prato, é atum no azeite com azeitonas no café-da-manhã, peixe salgado no desjejum, o que eu não daria por um pouco de manteiga de amendoim e um milk-shake, nem sei dizer. – Não posso garantir que os escoceses tenham inventado mares assim somente para causar um terror acovardante e de perder a fala – mas a pérola da água, o fervilhante turbilhão, o brilho da espuma na crista da onda jogada aos céus pela ventania, a Visão de Deus que tive como sendo tudo e eu mesmo, o navio, os outros, a maldita cozinha, a maldita e imunda cozinha de bordo com suas panelas balouçantes na penumbra cinzenta, como se as panelas soubessem que em breve iriam conter cozido de peixe na sisuda cozinha do mar sisudo, o balanço e o clanc clanc, oh aquele navio com seu longo casco que de início no cais do Brooklyn me levou a pensar secretamente: "Meu Deus, é longo demais", agora não é longo o suficiente para permanecer imóvel no imenso passatempo de Deus, avançando penosamente, avançando e estremecendo todo o ferro – e também depois de eu ter pensado: "Por que eles têm que passar o dia inteiro aqui nesta cidade portuária?" (em, como se chama mesmo, Perth Amboy, Nova Jersey), com uma grande, negra e sinistra, devo dizer, mangueira vinda da doca de combustível, bombeando, bombeando lentamente durante aquele domingo inteiro, com um céu baixo de inverno todo em um louco fulgor cor de laranja, e ninguém no comprido cais deserto quando saí para dar uma volta depois do jantar de azeite de oliva, mas um sujeito, meu último americano, ao passar olhando para mim um tanto desconfiado, achou que eu fosse membro da tripulação vermelha, bombeando o dia inteiro, enchendo os imensos tanques de combustível do velho *Slovenia,* mas, uma vez no mar, naquela tempestade de Deus, estou muito contente e gemo ao pensar que passamos o dia inteiro abastecendo, como seria horrível ficar sem combustível no meio daquela borrasca e permanecer à deriva sendo jogados de um lado para outro. – Para escapar da tempestade naquela manhã de quarta-feira, o comandante simplesmente deu as costas a ela, não poderia agüentá-la pelos lados, só pela proa ou pela popa, os vagalhões rolantes, e quando ele fez o giro por volta das oito da manhã pensei que certamente iríamos a pique, o navio inteiro com aquele estalo inequívoco, vrac, adernou rapidamente para um lado, mas deu para sentir que ele estava conseguindo se endireitar novamente com um salto elástico, as ondas do boorapoosh ajudaram, agarrado à minha vigia, olhando para fora (não estava frio, mas a espuma borrifava meu rosto), lá vamos nós arremetendo de novo sobre uma onda que se ergue e se aproxima, cá estou eu cara a cara com uma parede de mar vertical, o navio estremece, a quilha agüenta, a longa quilha submersa que agora é apenas a barbatana de um peixe minúsculo depois de na doca eu ter pensado: "Como essas docas devem ser fundas para comportar quilhas longas como estas sem que elas raspem no fundo!" – Lá vamos nós, as vagas varrem o convés, minha escotilha e meu rosto completamente borrifados, a água respinga na cama (Oh, meu leito, o mar) e tudo de novo do outro lado, depois de uma parada quando o comandante vira o *Slovenia* de costas para a tempestade e navegamos para sul. – Pensei que muito em breve estaríamos no fundo, com olhar introspectivo em uma infindável beatitude uterina, afogados – no mar arreganhado que restaura a impossibilidade. – Oh alvos braços de Deus, vi Seus braços ali ao lado da escada de cordas onde, se tivéssemos que desembarcar e descer por ela (como se os salva-vidas fossem servir para algo a não ser se destroçarem como nozes contra o casco do navio naquela loucura), a face branca individualizada de Deus me disse: "Tu Jean, não se preocupe, se eu levar você hoje, e a todos os outros pobres-diabos dessa banheira, é porque nunca houve nada a não ser Eu, tudo é Eu –" ou, como diz a Escritura Lankavatara: "Não há nada no mundo senão a própria Mente" ("Não há nada no mundo senão a Dourada Eternidade da mente de Deus", digo eu) – vi as palavras TUDO É DEUS, NUNCA HOUVE NADA SENÃO DEUS gravadas em leite naquele mar profundo – que Deus lhe abençoe, um trem interminável para um interminável cemitério, é tudo o que é essa vida, mas nunca foi nada senão Deus, nada mais que isso – assim, quanto mais o monstruoso naufrágio se aproximar zombando de mim e me ofendendo, mais apreciarei o velho Rembrandt com minha caneca de cerveja e combaterei todos os brincalhões tipo Tolstoy desse lado de um estalar de dedos, dedilhe como quiser, e na África haveremos de chegar, e chegamos de fato, e se aprendi alguma lição foi uma lição em BRANCO – irradie o quanto quiser, doce escuridão, e traga seus fantasmas e anjos e assim seguiremos até a costa arborizada, o litoral rochoso, o último poeta do mar, ó Ezequiel, pois que chegou aquela tarde tão suave e branda e de aparência mediterrânea em que começamos a avistar terra, só quando vi o pequeno traço de um sorriso estampado no rosto do comandante enquanto ele olhava pelo binóculo é que realmente acreditei, mas finalmente pude ver eu mesmo, a África, pude distinguir as picadas nas montanhas, os arroios secos, antes de poder ver as montanhas em si, e por fim as vi, pálido verde-dourado, sem saber até mais ou menos às cinco que se tratavam na verdade das montanhas da Espanha, o velho Hércules estava em algum lugar lá em cima sustentando o mundo em seus ombros, daí o segredo e silêncio vítreo daquelas águas na entrada da Hespérida. – Suave estrela Maria à frente, e todo o resto, e mais adiante pude também ver Paris, a Paris da minha grande visão iluminada onde desembarcaria de um trem no subúrbio de Peuples du Pays e caminharia oito quilômetros para o interior, penetrando mais e mais profundamente como em um sonho na própria cidade de Paris, chegando finalmente a um centro reluzente que eu então visionava, o que era uma bobagem, como viria a descobrir, como se Paris tivesse um centro. – Tênues pontinhos brancos no sopé da longa montanha verde da África e sim senhor, lá estava a sonolenta cidadezinha árabe de

Tânger à espera de que eu a explorasse naquela noite, por isso desci para minha cabine e chequei minha mochila para ver se estava tudo bem guardado e pronto para que eu deslizasse pela prancha de desembarque e tivesse meu passaporte carimbado com caracteres árabes: "Oieieh eiieh ekkei". – Enquanto isso, muito tráfego, barcos, diversos cargueiros espanhóis malcuidados, e nem dá para acreditar o quão malcuidados, desolados, pequenos, tendo que enfrentar boorapooshes com apenas a metade do nosso comprimento e a metade da nossa envergadura, e lá adiante, as longas extensões de areia na costa da Espanha indicando Cádizes mais áridas do que eu havia sonhado, já que ainda insistia em sonhar com o cabo espanhol, a estrela espanhola, a canção das sarjetas espanhola. – E finalmente um espantoso barquinho de pesca marroquino fazendo-se ao mar com uma pequena tripulação de uns cinco, alguns deles metidos em desajeitadas calças Cata-Maomé (pantalonas muito largas que usam para o caso de darem à luz Maomé), e alguns com fez vermelho, mas um fez vermelho como você jamais imaginou que um fez verdadeiro pudesse ser, com rugas e manchas de gordura duras de poeira, fez vermelho real da vida real da África real, o vento soprando e a pequena chalupa de pesca com sua popa incrivelmente alta de madeira do Líbano – partindo para a crespa canção do mar, estrelas a noite inteira, as redes, o zunir do Ramadã...

CLARO QUE VIAJAR PELO MUNDO não é tão bom quanto parece, só depois que você volta de todo o calor e horror é que se esquece de ficar irritado e lembra as doidas cenas que viu. – No Marrocos, fui dar uma caminhada em um lindo entardecer ensolarado e ameno (com a brisa de Gibraltar), e um amigo e eu nos dirigimos para os arredores da estranha cidade árabe comentando a respeito da arquitetura, dos móveis, das pessoas, do céu que ele disse que parecia verde ao cair da noite e da qualidade da comida nos vários restaurantes espalhados pela cidade, acrescentando, quer dizer, ele acrescentou: "Além disso, sou apenas um agente secreto de outro planeta, e o problema é que não sei por que me enviaram, me esqueci da maldita da mensagem", de modo que respondi: "Também sou um mensageiro do céu", e de repente vimos um rebanho de cabras vindo pela estrada e atrás delas um pastor árabe de dez anos que segurava um cordeirinho nos braços, e atrás dele vinha a mãe ovelha a balir, méé, béé, para que ele tivesse um cuidado realmente extra-especial com o cordeirinho, e o menino disse: "Egraya fa y kapata karapatafataya", e cuspiu aquilo garganta afora da maneira como os semitas falam. – Eu disse: "Olhe, um pastor de verdade carregando um cordeirinho!", e Bill disse: "Bem, esses ladrõezinhos estão sempre rondando por aí carregando cordeirinhos". Depois descemos a colina até o lugar onde um homem santo, isto é, um devoto maometano, rezava de joelhos voltados para o sol poente na direção de Meca, e Bill se virou para mim e disse: "Não seria maravilhoso se fôssemos verdadeiros turistas americanos, e eu de repente corresse com uma câmera para tirar uma foto dele?"... então acrescentou: "Por falar nisso, como o contornaremos?".

"Pela direita", disse eu.

Prosseguimos em nosso caminho para casa até um ruidoso café ao ar livre onde todo mundo se reunia ao anoitecer sob árvores onde os pássaros chilreavam, próximo a Zoco Grande, e decidimos seguir os trilhos do trem. Estava quente, mas a brisa do Mediterrâneo era fresca. Encontramos um velho vagabundo árabe sentado nos trilhos recitando o Alcorão para um bando de crianças esfarrapadas escutando atentamente ou pelo menos obedientemente. Atrás ficava a casa da mãe delas, um barraco de lata, lá estava ela de branco estendendo roupa branca, azul e cor-de-rosa em frente a um galpão de lata azul-claro sob o radiante sol africano. – Eu não sabia o que o homem santo estava fazendo e perguntei: "Ele é alguma espécie de idiota?" – "Não", respondeu Bill, "é um peregrino errante xerifiano pregando o evangelho de Alá para as crianças – é um *hombre que rison*, um homem que reza, na cidade há alguns *hombres que rison* que vestem túnicas brancas e andam descalços pelos becos e não permitem que vadios de jeans briguem nas ruas, eles se aproximam, os encaram, e os vadios se dispersam. Além disso, as pessoas de Tânger não são como as do West Side de Nova York, quando começa uma briga de rua entre árabes vadios, todos os homens saem às pressas das casas de chá de hortelã e dão uma surra neles. Já não há homens na América, só sabem sentar e comer pizza e aguardar o último show da noite, meu caro." Esse homem era William Seward Burroughs, o escritor, e nós descíamos as estreitas travessas da Medina (a "Casbah" é apenas a parte fortificada da cidade) rumo a um pequeno bar e restaurante onde todos os americanos e exilados iam. Eu queria falar com alguém a respeito do menino pastor, do homem santo, do velho sentado nos trilhos, mas ninguém estava interessado. O enorme holandês gordo que era dono do bar me disse: "Não consigo arranjar um benino que preste nesta cidade" (dizendo "benino", não menino, mas querendo dizer menino). – Burroughs se torceu de tanto rir.

Dali fomos para o café do fim de tarde onde iam todos os aristocratas decadentes da América e da Europa e alguns árabes ou quase árabes, ou diplomatas, ou seja lá o que fossem, ávidos, esclarecidos e saudáveis. – Perguntei a Bill: "Onde descolo uma mulher nessa cidade?".

Ele disse: "Há algumas prostitutas rondando por aí, você precisa conhecer um motorista de táxi ou algo assim, ou melhor ainda, há um sujeito na cidade, é de Frisco, Jim, ele vai indicar qual a esquina e o que você deve fazer", de modo que nessa noite eu e Jim, o pintor, saímos e paramos em uma esquina e logo chegaram duas mulheres de véu, com um delicado véu de algodão cobrindo suas bocas e até o meio do nariz, os olhos profundamente escuros era só o que se via, com longas túnicas flutuantes sob as quais apareciam os sapatos, Jim chamou um táxi que estava parado ali, e lá fomos nós para um quarto em um pátio (o meu), um pátio de azulejos com vista para o mar e um farol xerifiano que rodava e rodava ao redor e ao redor, iluminando minha janela a intervalos regulares, enquanto, sozinho com uma das misteriosas mulheres veladas, eu a observava se livrar das vestes e do véu e se revelar como uma perfeita mexicanazinha (quero dizer, árabe), uma beleza perfeita e dourada como as velhas uvas de outubro e talvez como a floresta de Ebon, e se virou para mim de lábios entreabertos com uma curiosidade tipo: "Bem, o que você está fazendo aí parado?", por isso acendi uma vela na minha escrivaninha. Ao ir embora, ela desceu comigo até onde estavam alguns dos meus conhecidos da Inglaterra, do Marrocos e dos Estados Unidos fumando ópio em cachimbos feitos em casa e cantando uma velha melodia de Cab Calloway, "I'm gonna kick the gong around". – Na rua, ela foi muito educada ao entrar no táxi.

Dali fui para Paris mais tarde, onde quase nada aconteceu, exceto que a garota mais bonita do mundo não gostou da mochila nas minhas costas e de qualquer maneira tinha um encontro com um sujeito de bigodinho, do tipo que fica parado de mão no bolso e um sorrisinho nos filmes sobre Paris.

Uau – e em Londres o que vi senão uma linda, uma lindíssima loira encostada em uma parede no Soho chamando os homens bem-vestidos. Um monte de maquiagem, sombra azul nos olhos, definitivamente as mulheres mais lindas do mundo são inglesas... a não ser que você prefira as morenas, como eu.

MAS HOUVE MAIS COISAS NO MARROCOS do que caminhadas com Burroughs e prostitutas no meu quarto, dei grandes voltas sozinho, degustei Cinzano em bares ao ar livre *solitaire,* sentei na praia...

Havia uma linha férrea que passava pela praia e por ela vinha o trem de Casablanca – eu costumava sentar na areia e observar os esquisitos guarda-freios árabes e o engraçado CFM (Central Ferrocarril Morocco). – Os vagões tinham rodas estreitas e raiadas, apenas uns pára-choques em vez de engates, pára-choques redondos duplos, um de cada lado, e os vagões eram unidos por uma simples corrente. – O cobrador sinalizava para parar e seguir adiante com as mãos e soprava um apito agudo e gritava em árabe gutural para o guarda-freios. – Os vagões não possuíam freio de mão nem escadas de ferro. – Estranhos vagabundos árabes se sentavam em vagões de carvão sacolejando pela costa arenosa para cima e para baixo, na esperança de ir para Tetuan...

Um guarda-freios usava fez e bombachas – fiquei só imaginando um despachante da estação ferroviária envolto em um albornoz completo sentado com seu cachimbo de haxixe ao telefone. Mas eles tinham uma boa locomotiva diesel com um maquinista de fez nos comandos, e ao lado da locomotiva um letreiro que dizia DANGER A MORT (perigo de morte). – Em vez de freios de mão eles corriam com as túnicas esvoaçantes e soltavam uma barra horizontal que parava as rodas com cepos de brecagem – era loucura – eles eram ferroviários miraculosos. – O cobrador corria gritando: "Thea! Thea! Mohammed! Thea!" – Mohammed era o homem da frente, ficava parado na extremidade, na areia, com o olhar triste e distante. – Enquanto isso, mulheres veladas árabes com longas túnicas estilo Jesus perambulavam por ali catando pedaços de carvão ao lado dos trilhos – para o peixe noturno, para o calor da noite. – Mas a areia, os trilhos e a grama eram tão universais quanto a velha Southern Pacific... Túnicas brancas na areia do mar azul e da ferrovia...

Eu tinha um quarto excelente, como já disse, no sótão, com um pátio, as estrelas à noite, o mar, o silêncio, a senhoria francesa, a governanta chinesa – o pederasta holandês de um metro e noventa e sete que morava ao lado e trazia garotos árabes todas as noites. – Ninguém enchia meu saco.

A barca de Tânger para Algeciras era muito triste porque estava muito alegremente iluminada para cumprir a tarefa terrível de ir para a outra margem. –

Na Medina descobri um restaurante espanhol escondido que servia o seguinte menu por 35 centavos: um copo de vinho tinto, sopa de camarão com massinha, carne de porco com molho de tomate, pão, um ovo frito, uma laranja em um pires e um café expresso, juro por meu braço. – Para o trabalho de escrever, dormir e pensar fui à estupenda farmácia local e comprei Sympatina para me ligar, Diosan para um sonho de codeína e Soneriyl para dormir. – Ao mesmo tempo, Burroughs e eu também descolamos um pouco de ópio vendido por um sujeito de fez vermelho no Zoco Chico e fizemos uns cachimbos caseiros com velhas latas de azeite e fumamos cantando "Willie, the Moocher" e no dia seguinte misturamos haxixe e kif com mel e uns temperos e fizemos grandes bolos "Majoun" e comemos, mastigando com chá quente, e demos longas caminhadas proféticas pelos campos de florzinhas brancas. – Uma tarde, chapado de haxixe, meditei no meu telhado ensolarado e pensei: "Todas as coisas que se movem são Deus, e todas as coisas que não se movem são Deus", e com essa reexpressão do antigo segredo todas as coisas que se moviam e faziam ruído na tarde de Tânger pareceram se rejubilar de repente, e todas as coisas que não se moviam pareceram satisfeitas...

Tânger é uma cidade encantadora, bacana e legal, repleta de maravilhosos restaurantes continentais como *El Paname* e *L'Escargot*, com pratos de dar água na boca, sestas suaves, sol e varandas de padres santos católicos perto de onde eu morava e que rezavam todas as noites de frente para o mar. – Que haja orações por toda a parte! –

Enquanto isso, o gênio maluco Burroughs escrevia à máquina todo descabelado no seu apartamento-jardim as seguintes palavras: "Motel Motel Motel solidão geme através do continente como nevoeiro sobre água oleosa estagnada em rios banhados pela maré..." (referia-se à América.) (A América é sempre lembrada no exílio.)

No Dia da Independência do Marrocos minha sexy empregada árabe negra e grande de cinqüenta anos limpou meu quarto e dobrou com capricho minha imunda camiseta sobre uma cadeira...

E, no entanto, Tânger às vezes era profundamente aborrecida, sem vibração, e então eu caminhava uns três quilômetros pela praia entre pescadores velhos e ritmados que puxavam redes cantando em grupos alguma melodia antiga ao longo da arrebentação, deixando os peixes a se debaterem na areia da praia, e às vezes observava os incríveis jogos de futebol disputados na areia por garotos árabes malucos, alguns deles marcando gols de cabeça mesmo estando de costas, para os aplausos das crianças na platéia.

E caminhava pela Terra de Maghreb das cabanas que é tão adorável quanto a terra do México com todas aquelas colinas verdes, burros, velhas árvores, jardins.

Uma tarde sentei na foz de um rio que desaguava no mar e observei a maré alta subir mais alto do que minha cabeça, e um temporal repentino me obrigou a retornar à cidade correndo pela praia como um astro das pistas de atletismo, encharcado, e subitamente na avenida dos cafés e hotéis o sol saiu e iluminou as palmeiras molhadas e deu uma velha sensação – tive aquela velha sensação – pensei em todo mundo.

Cidade esquisita. Me sentava no Zoco Chico em uma mesa de café observando os tipos que passavam: um domingo esquisito na terra arábica, no qual seria de esperar misteriosas janelas brancas e mulheres jogando punhais, e realmente se vê isso, mas, por Deus, a mulher que vi de véu branco sentada espreitando sob uma cruz vermelha acima de um pequeno cartaz que dizia "Praticantes, Sanio Permanente, TF Nº † 9766", a cruz vermelha – bem em cima de uma tabacaria com bagagens e fotografias, onde um garotinho de pernas nuas ficava encostado ao balcão junto com uma família de espanhóis com relógio de pulso. – Enquanto isso, marinheiros ingleses dos submarinos passavam tentando se embebedar mais e mais com Málaga, no entanto calmos e perdidos em lamentações sobre o lar. –

Dois pequenos árabes jazzistas mantiveram uma breve confabulação musical (garotos de dez) e então se separaram com acenos, um dos garotos tinha um barrete amarelo e um *zoot suit** azul. – Os azulejos pretos e bran-

* *Zoot suit:* traje masculino da década de 40, com colete, paletó comprido e largo, com lapelas e ombreiras avantajadas, e calças de cintura alta e perna afunilada. (N. do T.)

cos do café ao ar livre onde me sentava estavam manchados pelo tempo solitário de Tânger – um garotinho de cabeça raspada passou e se dirigiu a um homem sentado em uma mesa próxima à minha, disse: "Yo", e o garçom veio às pressas e o enxotou gritando: "Yig". – Um padre com roto manto marrom sentou comigo à mesa (um *hombre que rison)*, mas olhou para longe, com as mãos no colo, para o fez vermelho-vivo, o suéter vermelho da garota e a camisa vermelha do garoto na paisagem verde... Sonhando com o Sufi...

Oh os poemas que um católico arranjaria em uma terra islâmica: – "Santa Mãe Xerifiana pestanejando junto ao negro mar... salvaste os fenícios que se afogavam há três mil anos? ... Oh suave rainha dos cavalos da meia-noite... abençoa as áridas terras marroquinas!"...

Porque eram terras áridas, isso era certo como o fogo do inferno, e eu próprio descobri um dia ao escalar as distantes colinas. – Primeiro segui pela costa, na areia, onde as gaivotas reunidas em grupo junto ao mar pareciam estar participando de uma refeição à mesa, uma mesa reluzente – de início pensei que estivessem rezando – a gaivota-chefe dava graças. – Sentado na areia à beira-mar perguntei a mim mesmo se os microscópicos insetos vermelhos que ela continha se conheciam e se acasalavam. – Tentei contar um punhado de areia sabendo que há tantos mundos quantos grãos de areia em todos os oceanos. – Oh honoráveis desses mundos! Já que exatamente nesse instante um velho bodhisattva de túnica, um velho barbudo de manto conhecedor da grandeza da sabedoria chegou caminhando com um cajado, um saco disforme de pele, um fardo de algodão e um cesto nas costas, um pano branco em volta da respeitável fronte morena. – Eu o vi desde muitos quilômetros de distância vindo pela praia – o árabe coberto pelo manto junto ao mar. – Nem mesmo acenamos com a cabeça um para o outro – seria demais, nos conhecêramos há muito tempo –

Depois disso fui para o interior e subi uma montanha de onde se vislumbrava toda a baía de Tânger e cheguei a uma silenciosa encosta de pastores, ah o zurrar dos burros e o mééé dos carneiros lá em cima se rejubilando pelos vales, e os tolos trinados alegres de aves malucas brincando na solidão de rochas e arbustos varridos pelo calor do sol, varridos pelo vento do mar, e todas as calorosas ululações tremeluzindo. – Silenciosas cabanas de folhas e de ramos lembrando o Alto Nepal. – Pastores árabes de ar feroz passaram me lançando olhares furiosos, morenos barbudos de túnica e com os joelhos nus. – Para o sul ficavam as longínquas montanhas africanas. – Abaixo da íngreme escarpa onde eu me sentava, sossegadas aldeias de azul pálido. – Grilos, rugido do mar. – Pacíficas aldeias berberes da montanha ou assentamentos rurais, mulheres com montes enormes de gravetos às costas descendo a encosta – garotinhas entre touros pastando. – Arroios secos no farto pasto verde. – E os cartagineses desapareceram?

Quando desci de volta à praia na frente da Cidade Branca de Tânger era noite e olhei para a colina onde morava, ela estava inteiramente cintilante, então pensei: “E eu moro ali em cima, cheio de concepções imaginárias?”

Os árabes faziam sua parada de sábado à noite com gaitas de foles, tambores e trumpetes, isso me inspirou um haiku:

Caminhando pela praia noturna
– Música militar
no bulevar.

CERTA NOITE EM TÂNGER, onde, como já falei, me sentia um pouco aborrecido, uma deliciosa flauta começou a tocar subitamente por volta das três horas da manhã, e tambores abafados soaram em algum lugar nas profundezas da Medina. – Pude ouvir os sons do meu quarto de frente para o mar no bairro espanhol, mas quando saí para o terraço azulejado nada vi além de um sonolento cão espanhol. – Os sons vinham de quarteirões de distância, na direção dos mercados, sob as estrelas maometanas. Era o começo do Ramadã, o jejum de um mês. Que triste: porque Maomé jejuara do nascer ao pôr do sol, um mundo inteiro também jejuaria pela fé sob aquelas estrelas. – Na outra extremidade da baía, o farol girava e enviava seu feixe de luz ao meu terraço (vinte dólares por mês), se virava e varria os montes berberes onde flautas ainda mais misteriosas e tambores mais estranhos e profundos eram tocados, e chegava à boca das Hespérides na suave escuridão que conduz ao amanhecer para além da costa da África. – De repente lamentei já ter comprado a passagem de barco para Marselha e estar deixando Tânger.

Se você alguma vez viajar de balsa de Tânger para Marselha jamais vá de quarta classe. – Eu me julgava um viajante muito experimentado e esperto que pouparia cinco dólares, mas, quando entrei na balsa às sete da manhã seguinte (uma barcaça azul e disforme que parecia muito romântica ao navegar pelas proximidades do pequeno cais de Tânger vinda de Casablanca), no mesmo instante me disseram para esperar junto a um bando de árabes e depois de meia hora fui empurrado com eles para o castelo da proa – um barraco do exército francês. Todos os beliches estavam ocupados, por isso tive que sentar no convés e esperar mais uma hora. Depois de umas investigações pouco alentadoras junto aos camareiros, fiquei sabendo que não tinham me destinado beliche nenhum, nem tomado nenhuma providência para me alimentar, nem coisa nenhuma. Eu era praticamente um clandestino. Enfim, vi um beliche que ninguém parecia estar ocupando e me apropriei dele, perguntando raivosamente ao soldado que estava perto: "*Ill y a quelqu'un ici?*" Ele não se dignou a responder, apenas deu de ombros, não necessariamente um dar de ombros gaulês, mas um enorme dar de ombros de quem está farto do mundo e farto da vida da Europa em geral. Subitamente me arrependi de estar abandonando a sinceridade indiferente mas honesta do mundo árabe.

A banheira boboca zarpou através do estreito de Gibraltar e imediatamente começou a jogar furiosamente nos imensos vagalhões, provavelmente os piores do mundo, que surgem do fundo rochoso do mar da Espanha. – A essa altura já era quase meio-dia. – Após uma breve meditação no beliche forrado de estopa, fui ao convés onde os soldados deviam formar fila com seus pratos de ração; metade do exército francês já tinha vomitado na coberta, e era impossível atravessá-la sem escorregar. – Nessa ocasião, notei que até os passageiros da terceira classe tinham a refeição servida em sua própria sala de jantar e possuíam quartos e serviço. – Voltei ao beliche e abri meu velho equipamento de campismo, tirei da mochila uma tigela, uma caneca e uma colher de alumínio e aguardei. – Os árabes continuavam sentados no chão. – O camareiro-chefe, um alemão barrigudo com cara de guarda-costas prussiano, veio e anunciou às tropas francesas recém-saídas do serviço nas fronteiras escaldantes da Argélia que se mexessem e fossem fazer as tarefas de limpeza. – Eles o encararam em silêncio, e ele se afastou com seu séquito de grumetes miseráveis.

Ao meio-dia todo mundo começou a se mexer e

até mesmo a cantar. – Vi soldados se arrastarem em frente com suas tigelas e colheres e os segui, depois avancei com a fila até uma panela imunda cheia apenas de feijões cozidos que foram lançados na minha tigela depois de um olhar reticente do ajudante de cozinha, que deve ter se perguntado por que minha tigela era um pouco diferente da dos soldados. – Mas para que a refeição fosse um sucesso completo fui à padaria na proa e dei uma gorjeta para o padeiro balofo, um francês de bigode, e ele me deu um pãozinho maravilhoso recém-saído do forno, e com isso sentei em um rolo de cordas na escotilha da popa e comi sob ventos límpidos e na verdade gostei da comida. – Ao longe, a bombordo, o rochedo de Gibraltar já estava ficando para trás, as águas estavam se tornando mais calmas, e em breve a tarde preguiçosa chegaria com o navio navegando na direção da Sardenha e da França meridional. – E subitamente (como nos longos sonhos que eu tinha sonhado acordado a respeito daquela travessia, todos desfeitos agora, sonhos de uma linda e radiante viagem em um magnífico "paquete" com vinho tinto em taças de pé alto e fino, e franceses e louras alegres), uma pequena amostra do que eu esperava encontrar na França (onde jamais tinha estado) soou através do sistema de alto-falantes: uma canção chamada *Mademoiselle de Paris,* e todos os soldados franceses da proa, comigo sentado protegido do vento atrás dos tabiques, assumiram repentinamente um ar romântico e começaram a falar com entusiasmo das garotas de sua terra, e de súbito tudo pareceu finalmente apontar na direção de Paris.

RESOLVI PARTIR A PÉ DE MARSELHA pela Route N8 na direção de Aix-en-Provence e então começar a pedir carona. Nunca pensei que Marselha fosse uma cidade tão grande. Depois de me carimbarem o passaporte, avancei pela linha férrea com a mochila nas costas. O primeiro europeu que cumprimentei em seu solo natal foi um francês de bigodes retorcidos que atravessou os trilhos junto comigo, mas ele não retribuiu minha alegre saudação, *"Allo l'Père!"* – Mas tudo bem, até mesmo os paralelepípedos e os trilhos do bonde eram um paraíso para mim, finalmente a inatingível França primaveril. Segui em frente entre prédios esfumaçados do século 18 lançando fumaça de carvão, passei por uma imensa carroça de lixo puxada por um cavalo enorme, com um condutor que usava boina e camisa pólo listrada. – Um velho Ford 1929 cruzou ruidosamente em direção às docas conduzindo quatro rufiões de boina e bitucas caídas no canto da boca como se fossem personagens de algum filme francês esquecido em minha memória. – Entrei em uma espécie de bar que abria de manhã cedo aos domingos, sentei em uma mesa e bebi café quente servido por uma senhora de roupão, mas não tinham bolos – porém, comprei bolos do outro lado da rua na *boulangerie* cheirando a mil-folhas e *croissants,* e comi deliciado enquanto lia o *Paris Soir,* com a música no rádio já anunciando as novidades da minha tão desejada Paris – sentado ali, com inexplicáveis e fortíssimas recordações, como se tivesse nascido e vivido anteriormente naquela cidade, como se tivesse sido irmão de alguém, e árvores nuas se cobrindo de brotos para a primavera enquanto eu olhava para fora pela janela. – Quão antigos minha velha vida na França, meu longínquo e antigo sangue francês me pareciam agora – todos aqueles nomes de lojas, *épicerie, boucherie,* as lojinhas abertas de manhã cedo como as do meu lar franco-canadense, como Lowell, Massachusetts, aos domingos. – *Quel différence?* De repente me senti muito feliz.

MEU PLANO, DADA A GRANDE DIMENSÃO da cidade, era pegar um ônibus para Aix e a estrada do norte para Avignon, Lion, Dijon, Sens e Paris, e imaginei que naquela noite dormiria na grama da Provença em meu saco de dormir, mas as coisas foram diferentes. – O ônibus era maravilhoso, era um ônibus local que saiu de Marselha subindo sempre, cruzando minúsculas comunidades onde se vêem pais franceses fuçando nos jardins bem-cuidados enquanto os filhos surgem na soleira com pães compridos para o café-da-manhã, e os tipos que entravam e saíam do ônibus eram tão familiares que desejei que meus pais estivessem ali, para vê-los, para ouvi-los dizer: "*Bonjour, Madame Dubois. Vous avez été à la Messe?*"* Não levou muito tempo pra chegar em Aix-en-Provence, onde me sentei em um café na calçada entre dois vermutes e observei as árvores de Cézanne e o alegre domingo francês: um homem passando com bolos e dois pães de um metro de comprimento e, salpicados pelo horizonte, telhados vermelhos foscos e as distantes colinas azuis nebulosas atestando a perfeita reprodução da cor provençal feita por Cézanne, um vermelho que ele empregava mesmo em maçãs de naturezas-mortas, um vermelho-acastanhado e fundos de azul-escuro esfumaçado. – Pensei: "A alegria, a sensibilidade da França caem tão bem depois da morosidade dos árabes".

Depois dos vermutes, fui à catedral de St. Sauveur, que ficava no atalho para a auto-estrada, e lá, ao cruzar por um velho de cabelos brancos e boina (e ao redor, no horizonte, o "verde" primaveril de Cézanne, do qual havia me esquecido, se unia às colinas azuis esfumaçadas e aos telhados vermelhos ferruginosos), chorei. – Chorei

* "Bom dia, madame Dubois. A senhora estava na missa?". Em francês no original. (N. do E.)

na catedral do Salvador ao ouvir o coro dos meninos entoar uma melodia antiga e encantadora enquanto anjos pareciam pairar no ar – não pude me conter – me escondi de ocasionais olhares inquiridores de famílias francesas atrás de um pilar com minha enorme mochila (mais de 36 quilos) e enxuguei os olhos, chorando até mesmo à vista do batistério do século 6 – todo ele ainda com velhas pedras romanas com a cavidade na qual tantas outras criancinhas haviam sido batizadas, todas elas com olhos de lúcida compreensão de diamante líquido.

DEIXEI A IGREJA e me dirigi para a estrada, caminhei pouco mais de um quilômetro, a princípio desdenhando de pedir carona, por fim sentei em uma colina gramada à beira da estrada vislumbrando uma pura paisagem de Cézanne – telhados de pequenas casas de fazendas, árvores e distantes colinas azuis com indícios do tipo de penhasco mais predominante para o norte, na direção da região de Van Gogh, em Arles. – A auto-estrada estava cheia de carrinhos sem espaço interno ou ciclistas com cabelos esvoaçantes. – Me arrastei inutilmente com o polegar a postos por oito quilômetros, mas acabei desistindo, desisti em Eguilles, na primeira parada de ônibus da auto-estrada, pude ver que não davam carona na França. – Em um café bastante caro de Eguilles, com famílias francesas almoçando ao ar livre no pátio, tomei um café e depois, sabendo que o ônibus passaria dentro de uma hora mais ou menos, enveredei por uma estrada de terra secundária para examinar a vista interior da região de Cézanne e me deparei com uma casa de fazenda cor de malva em um tranqüilo vale fértil – rústica, com telhas rosa-claro gastas pelo tempo, uma calidez suave verde-acinzentada, vozes de garotas, montes cinzentos de feno colhido, uma horta bem adubada, uma cerejeira explodindo em flores brancas, um galo cantando pouco entusiasmado ao meio-dia, altas árvores "Cézanne" no quintal, macieiras, salgueiros espalhados entre o trevo do prado, um pomar, uma velha carroça azul sob o alpendre do celeiro, uma pilha de lenha, uma cerca de galhos brancos secos perto da cozinha.

Então o ônibus chegou e atravessamos a região de Arles, e vi as inquietas árvores do entardecer de Van Gogh sob o forte vento mistral, fileiras de ciprestes agitados pelo vento, tulipas amarelas em jardineiras nas janelas, um grande café ao ar livre com um toldo imenso e o sol dourado. – Vi, compreendi, Van Gogh, os desolados desfiladeiros ao longe... Desci em Avignon para me transferir para o Paris Express. Comprei minha passagem para Paris, mas tinha horas a esperar, e vaguei pela avenida principal no final da tarde – milhares de pessoas em trajes domingueiros no monótono passeio provinciano interminável.

Entrei em um museu repleto de esculturas de pedra dos tempos do papa Benedito XIII, havia um esplêndido entalhe em madeira da Última Ceia, apóstolos aflitos de cabeças unidas, Cristo no meio, com a mão erguida, e de súbito uma das cabeças entalhada mais ao fundo parece olhar diretamente para você, e é Judas! – Mais adiante na galeria um monstro pré-romano evidentemente celta, todo em velha pedra esculpida. – E então do lado de fora, nos becos de paralelepípedos de Avignon (cidade da poeira), becos mais imundos do que as favelas do México (como as ruas próximas aos depósitos de lixo na Nova Inglaterra dos anos 30), com sapatos de mulher nas sarjetas arrastados por suja água medieval, e ao longo de toda a muralha de pedra crianças esfarrapadas brincando entre turbilhões desolados de poeira do mistral, o suficiente para fazer Van Gogh chorar.

E a famosa e decantada ponte de Avignon, de pedra, semicoberta agora pela impetuosa corrente primaveril do Ródano, com castelos de muralhas medievais nas colinas do horizonte (agora para turistas, outrora o castelo baronial do sustento da cidade). – Uns delinqüentes juvenis rondam furtivamente pelos arredores na tarde dominical junto à muralha de Avignon, fumando baganas proibidas, garotas de treze anos sorrindo afetadas em seus saltos altos, e mais abaixo na rua uma criancinha brincando na sarjeta inundada com o esqueleto de uma boneca, batucando em sua banheira emborcada. – E antigas catedrais nas travessas da cidade, velhas igrejas, agora apenas relíquias se desmoronando.

Não há nada tão lúgubre no mundo quanto uma tarde de domingo com o mistral soprando nas ruelas de paralelepípedo da pobre e antiga Avignon. Quando sentei em um café da rua principal lendo os jornais, compreendi as reclamações dos poetas franceses com relação ao provincianismo, o terrível provincianismo que enlouqueceu Flaubert e Rimbaud e intrigou Balzac.

Não havia uma única garota bonita para se ver em Avignon, a não ser naquele café, e ela era uma esplêndida rosa esguia de óculos escuros confidenciando casos amorosos à sua amiga na mesa ao lado da minha, e lá fora as multidões perambulando para cima e para baixo, para cima e para baixo, para frente e para trás, sem lugar algum para ir, nem nada para fazer – em desespero, Madame Bovary aperta as mãos atrás de cortinas de renda, os heróis de Genet aguardam a chegada da noite, o jovem De Musset compra uma passagem de trem para Paris. – Que se pode fazer em Avignon em uma tarde de domingo? Sentar em um café e ler sobre o regresso de um palhaço local, bebericar vermute e meditar sobre a pedra esculpida do museu.

Mas eu fiz uma das melhores refeições de cinco pratos de toda a Europa no que parecia ser um restaurante "barato" de rua transversal: boa sopa de legumes, uma excelente omelete, lebre grelhada, purê de batatas maravilhoso (amassado em um passador com montes de manteiga), meia garrafa de vinho tinto e pão, depois um delicioso flan com calda, tudo por supostamente 95 centavos, mas a garçonete subiu o preço de 380 francos para 575 enquanto eu comia, e não me dei o trabalho de reclamar.

Na estação ferroviária enfiei cinqüenta francos na máquina de chicletes e não saiu nada, e todos os funcionários fizeram o mais descarado jogo de empurra *("Demandez au contrôleur!")* e *("Le contrôleur ne s'occupe pas de ça!")** e fiquei um tanto desanimado com a desonestidade da França, que percebi de imediato já a bordo daquela balsa diabólica, especialmente depois da religiosidade honesta dos muçulmanos. – Agora um trem parou, rumo ao sul, para Marselha, e uma velha de renda preta desembarcou, se afastou e pouco depois deixou cair uma luva de couro preto, um francês bem-vestido se apressou em apanhá-la e colocou-a zelosamente em um poste, de modo que tive que apanhar a luva e correr atrás da mulher para lhe entregar. – Compreendi então por que foram os franceses que aperfeiçoaram a guilhotina – e não os ingleses, nem os alemães, nem os dinamarqueses, nem os italianos e nem os índios, mas sim os franceses, meu próprio povo.

Para completar, quando o trem chegou não havia absolutamente nenhum assento livre, e tive que viajar a noite inteira no vestíbulo gélido. – Quando fiquei com sono, tive que estender minha mochila nas frias portas de

* "Pergunte ao fiscal" e "O fiscal não é responsável por isso". Em francês, no original. (N. do E.)

ferro do vestíbulo e me escorei ali todo encolhido, enquanto corríamos pelas invisíveis Provenças e Borgonhas do arruinado mapa francês. – Seis mil francos por esse enorme privilégio.

AH, MAS DE MANHÃ, os subúrbios de Paris, a aurora se alastrando pelo Sena taciturno (como um pequeno canal), os barcos no rio, a fumaça industrial dos arredores da cidade, depois a Gare de Lyon, e quando desembarquei no Boulevard Diderot pensei vislumbrar lampejos de longos bulevares que seguiam em todas as direções com grandes prédios de oito andares ornamentados com fachadas monárquicas. "Sim, eles construíram sua própria *cidade!*" – Então cruzei o Boulevard Diderot para tomar café, um bom café *espresso* e *croissants* em um lugar imenso repleto de trabalhadores, e através do vidro pude ver mulheres de vestidos longos correndo para o trabalho montadas em motocicletas, e homens com capacetes imbecis *(La Sporting France)*, táxis, ruas de paralelepípedo antigas e largas, e aquele indefinível cheiro urbano de café, antissépticos e vinho.

Caminhando, então, em uma fria manhã de vermelho-vivo sobre a ponte de Austerlitz, passando o Zôo no Quai St. Bernard, onde um velho veadinho estava parado sob o orvalho matinal, e depois pela Sorbonne, tive minha primeira visão da Notre Dame, estranha como um sonho perdido. – E, quando vi uma grande estátua de mulher coberta pela geada no Boulevard Saint-Germain, lembrei de meu sonho de que já havia sido um colegial em Paris. – Parei em um café, pedi um Cinzano e percebi que a agitação da ida para o trabalho ali era a mesma que em Houston ou Boston, nem um pouco melhor – mas pressenti uma imensa promessa, ruas intermináveis, ruas, garotas, lugares, significados, e pude compreender por que os americanos permanecem aqui, alguns a vida inteira. – E o primeiro homem para quem eu tinha olhado em Paris na Gare de Lyon era um respeitável negro de chapéu de feltro.

Que imensa quantidade de tipos humanos passou por minha mesa no café: velhas senhoras francesas, garotas malaias, colegiais, meninos louros a caminho do colégio, jovens morenas altas rumo às aulas de direito, secretárias espinhentas e bundudas, escriturários de olhos arregalados e boina, leiteiros de boina e lenço no pescoço, sujeitos em compridos aventais azuis de laboratório, estudantes mais velhos de testa franzida andando a passos largos dentro de seus impermeáveis como em Boston, míseros policiais (de boné azul) remexendo os bolsos, loiras lindas de rabo-de-cavalo e salto alto com cadernos fechados com zíper, ciclistas de óculos com motores instalados na traseira das bicicletas, tipos de óculos e chapéu de feltro lendo *Le Parisien* e respirando neblina, mulatos de cabelo crespo com cigarros compridos na boca, senhoras carregando latas de leite e sacolas de compras, estrambóticos W. C. Fields de mãos nos bolsos, cuspindo na sarjeta a caminho de suas lojas para mais um dia, uma francesinha de doze anos e aparência chinesa, com dentes muito separados e quase chorando (de testa franzida, um corte na canela e livros escolares na mão, bonitinha e séria como as garotas negras do Greenwich Village), executivo de chapéu correndo e pegando o ônibus espetacularmente e desaparecendo com ele, jovens italianos cabeludos e de bigode entrando no bar para seu trago matinal de vinho, operadores da Bolsa cheios de si dentro de ternos caros catando moedas para o jornal na palma da mão (se chocam contra mulheres em paradas de ônibus), intelectuais sisudos com cachimbos e pacotes, uma ruiva encantadora trotando, pip, pip, de salto alto até a parada do ônibus, e uma garçonete despejando água suja da limpeza na sarjeta.

Morenas estonteantes de saias justas. Estudantezinhas com corte de cabelo masculino debruçadas sobre seus livros, inquietas e balbuciando as lições para as decorarem (esperando encontrar o jovem Marcel Proust no parque depois das aulas), garotas adoráveis de dezessete anos caminhando a passos largos e confiantes de salto baixo e casacos vermelhos compridos em direção ao centro de Paris. – Um asiático (sem dúvida) assobiando e conduzindo um cão pela coleira. – Jovens namorados sérios, o garoto com o braço em volta dos ombros da menina. – A estátua de Danton apontando para lugar nenhum, um jazzista parisiense de óculos escuros, bigodinho fininho, à espera por ali. – Garotinho de terno e boina preta, com o pai bem-sucedido indo para alguma curtição matinal.

No dia seguinte perambulei pelo Boulevard St.-Germain sob um vento primaveril, entrei na igreja de St.-Thomas-d'Aquin e vi um enorme quadro sombrio na parede mostrando um guerreiro caído do cavalo sendo apunhalado no coração por um inimigo, para o qual ele olhava diretamente com tristes e compreensivos olhos gauleses e com uma mão estendida, como se dissesse: "É a minha vida!" (possuía aquele horror de Delacroix). Meditei sobre esse quadro no radiante e colorido Champs-Élysées observando a multidão passar. Deprimido, passei por um cinema que anunciava *Guerra e paz,* onde dois granadeiros russos de sabre e gorros de zibelina conversavam cordialmente em francês tentando conquistar duas turistas americanas.

Longas caminhadas pelos bulevares com uma garrafa de conhaque. – Cada noite um quarto diferente, cada dia quatro horas para encontrar um novo quarto, a pé e com toda a bagagem. – Na periferia de Paris, inúmeras damas relaxadas diziam "*complet*" friamente quando eu perguntava se tinham quartos sem aquecimento e cheios de baratas na melancolia cinzenta de Paris. – Caminhava e me apressava furioso, esbarrando nas pessoas ao longo do Sena. – Em pequenos cafés, a compensação com bifes e vinhos, degustados lentamente.

Meio-dia, um café perto de Les Halles, sopa de cebola, *pâté de maison* e pão por um quarto de dólar. – À tarde, as garotas de casaco de pele ao longo do Boulevard St.-Denis, perfumadas. – "*Monsieur?*"

"Claro..."

Finalmente arranjei um quarto que consegui manter por três dias inteiros, um hotel que era uma choça gelada e sinistra explorada por dois gigolôs turcos, mas os caras mais gentis que conheci em Paris. Ali, de janela aberta nas melancólicas chuvas de abril, dormi meus melhores sonos e juntei forças para caminhadas diárias de trinta quilômetros pela Rainha das Cidades.

Mas no dia seguinte me senti súbita e inexplicavelmente feliz quando sentei no parque defronte à igreja Trinité, perto da Gare St.-Lazare entre crianças, e depois entrei e vi uma mãe rezando com uma devoção que atemorizava o filho. – Um instante depois vi uma mãezinha com um filhinho de calças curtas já da altura dela.

Dei uma caminhada por lá, começou a chover granizo em Pigalle, de repente o sol saiu em Rochechouart e descobri Montmartre. – Eu soube então onde moraria se alguma vez retornasse a Paris. – Carrosséis para crianças, mercados maravilhosos, tendas de *hors d'oeuvres,* lojas de vinho, cafés no sopé da magnífica e alva basílica do Sacré-Coeur, filas de mulheres e crianças à espera de rosquinhas alemãs quentinhas, lá dentro cidra normanda nova. – Garotas bonitas retornando da catequese para casa. – Um lugar para casar e criar uma família, ruas estreitas alegres repletas de crianças carregando pães compridos. – Com um quarto de dólar comprei um enorme naco de queijo *gruyère* em uma banca, um grande pedaço de galantina deliciosa como o pecado noutra, depois um cálice tranqüilo de vinho do Porto em um bar, e a seguir fui ver a igreja no alto da colina observando os telhados de Paris molhados sob a chuva lá embaixo. – A basílica do Sacré-Coeur de Jésus é formosa, talvez uma das igrejas mais bonitas no seu estilo (para quem tem a alma rococó como eu): cruzes vermelho-sangue nos vitrais com o sol poente lançando raios dourados sobre azuis bizantinos bizarros representando outras sacristias – verdadeiros banhos de sangue em um mar azul – e todas aquelas pobres placas tristes comemorando a construção da igreja depois do saque de Bismarck.

Colina abaixo sob a chuva, fui a um esplêndido restaurante na Rue de Clignancourt e tomei uma imbatível sopa cremosa francesa e uma refeição completa com um cestinho de pão francês e meu vinho no cálice longo com o qual havia sonhado. – Olho através do restaurante para as coxas tímidas de uma garota recém-casada que come seu grande jantar nupcial com o noivo fazendeiro sem que nenhum deles diga nada. – Farão o mesmo que estão fazendo agora durante cinqüenta anos em alguma cozinha ou sala de jantar provinciana. – O sol reluziu outra vez e, de barriga cheia, perambulei entre as barracas de tiro ao alvo e carrosséis de Montmartre e vi uma jovem mãe abraçando sua filhinha com uma boneca, sacudindo ela, rindo e abraçando ela porque se divertiam muito no cavalinho de pau, e vi o amor divino de Dostoiévski nos olhos dela (e acima da colina de Montmartre Ele estendeu Seus braços).

Me sentindo maravilhosamente bem, vagabundeei

um pouco, descontei um cheque de viagem na Gare du Nord e fiz todo o caminho a pé, alegre e numa boa, pelo Boulevard de Magenta até a imensa Place la République e adiante, ocasionalmente fazendo desvios por ruas transversais. – Noite agora, descendo pelo Boulevard du Temple e Avenue Voltaire (espreitando pela janela de restaurantes bretões obscuros) até o Boulevard Beaumarchais, onde pensei que veria a sinistra prisão da Bastilha, mas nem sequer sabia que ela havia sido derrubada em 1789 e perguntei para um cara: "*Où est la vieille prison de la Révolution?*", ele riu e disse que havia algumas pedras remanescentes na estação do metrô. – E então metrô abaixo: incríveis anúncios bastante artísticos, imagine um anúncio de vinho na América com uma menina de dez anos nua com um chapéu enfeitado, enroscada em volta de uma garrafa de vinho. – E o incrível mapa que acende e mostra o seu trajeto com luzes coloridas quando você aperta o botão do lugar aonde deseja ir. – Imagine o metrô de Nova York. E trens limpos, um vagabundo em um banco em uma límpida atmosfera surrealista (que não se pode comparar com a parada da 14th Street na linha Canarsie).

As carruagens estofadas de Paris deslizam cantando *dii* da, *dii* da. –

No dia seguinte perambulei examinando livrarias e entrei na biblioteca Benjamin Franklin, no lugar do antigo Café Voltaire (em frente à Comédie Française), onde todos beberam, de Voltaire a Gauguin e Scott Fitzgerald, e que agora serve de palco para bibliotecários americanos cerimoniosos sem qualquer expressão. Depois fui andando até o Pantheon e comi uma deliciosa sopa de ervilhas e um bife pequeno em um belo restaurante lotado de estudantes e professores de direito vegetarianos. – A seguir sentei em um pequeno parque da Place

Paul-Painlevé e observei sonhador um canteiro curvo de lindas tulipas róseas e rígidas, e rudes pardais gordos esvoaçantes, enquanto belas *mademoiselles* de cabelo curto passavam. Não é que as garotas francesas sejam lindas, são suas bocas bem-feitas e a maneira suave como falam francês (os lábios fazendo beicinhos rosados), o jeito como aperfeiçoaram o corte curto do cabelo, e o modo como rebolam lentamente ao andar, com muita sofisticação, e claro, a maneira chique como se vestem e se despem.

Paris, finalmente uma punhalada no coração.

O LOUVRE – QUILÔMETROS E QUILÔMETROS de caminhada diante de telas maravilhosas.

Na imensa tela de David representando Napoleão I e Pio VII, pude distinguir os coroinhas bem ao fundo acariciando o cabo da espada de um marechal (o cenário é Nôtre-Dame-de-Paris, com a imperatriz Josefina ajoelhada, linda como uma menina de bulevar). Fragonard, tão delicado ao lado de Van Dyck, e um imenso Rubens esfumaçado *(A morte de Dido)*. – Mas Rubens foi melhorando cada vez mais à medida que eu o observava, os músculos em tons de creme e rosa, a aura luminosa dos olhos, o vestido de veludo púrpura escuro sobre a cama. Rubens era feliz porque não posavam para ele por dinheiro, e sua *Quermesse* mostra um velho bêbado a ponto de vomitar. – A *Marquesa de la Solana* de Goya dificilmente poderia ser mais moderna, seus sapatos prateados vistosos pontudos como peixes entrecruzados, as imensas fitas cor-de-rosa diáfanas sobre um rosto rosado como o de uma irmãzinha. – Uma francesa típica (sem educação) disse de repente: *"Ah, c'est trop beau!"* "É muito maravilhoso!"

Mas Brueghel, uau! A sua *Batalha de Arbelles* tinha pelo menos seiscentos rostos claramente definidos em uma batalha completamente confusa que não levava a nada. – Não é de admirar que Céline o amasse. – Uma compreensão completa da loucura do mundo, milhares de figuras claramente definidas com espadas, e acima delas as montanhas pacíficas, árvores em uma colina, nuvens, e todos riram ao ver aquela obra-prima insana naquela tarde, captaram o significado.

E Rembrandt. – As árvores indistintas em meio à escuridão daquela casa de campo crepuscular com seus toques de castelo de vampiro da Transilvânia. – Colocado ao lado desse, sua *Carcaça de boi pendurada* era totalmente moderna com suas manchas de tinta cor de sangue. A pincelada de Rembrandt redemoinhava no rosto de *Cristo em Emaús,* e o chão na *Sagrada família* era totalmente detalhado na cor das tábuas e dos pregos. – Por que alguém deveria pintar depois de Rembrandt, a não ser Van Gogh? O *Filósofo em meditação* era o meu favorito por suas luzes e sombras à Beethoven; gostei também do *Eremita lendo,* com sua fronte velha e serena, e *São Mateus sendo inspirado pelo Anjo* era um milagre – as pinceladas rudes, a gota de tinta vermelha no lábio inferior do anjo, e as próprias mãos rudes do santo prontas para escrever o Evangelho... ah, miraculoso também o véu de fumaça angelical confusa no braço esquerdo do anjo que parte da casa de Tobias. – O que você pode fazer?

De repente, entrei na sala do século 19 e havia uma explosão de luz – de ouro cintilante e luz do dia. Van Gogh, sua igreja chinesa azul maluca com a mulher apressada, o segredo disso a pincelada espontânea japonesa que, por exemplo, revela as costas da mulher, as costas de tela toda branca, não-pintada, exceto por umas poucas pinceladas como garranchos em negro. – E então a loucura do azul correndo no teto onde Van Gogh colocou um baile – pude ver a doida alegria vermelha que ele colocou no coração daquela igreja. – Seu quadro mais louco era de jardins com árvores insanas rodopiando no céu espiralado azul, uma das árvores explodindo finalmente apenas em linhas pretas, quase que idiotas, mas divinas – as grossas espirais e nós untuosos de cor, belos tons oleosos de ferrugem, cremes, verdes.

Eu estudei os quadros de ballet de Dégas – quão sérios os rostos perfeitos na orquestra, e de repente a explosão no palco – a película rosada dos trajes das bailarinas, os tufos de cor. – E Cézanne, que pintava exatamente como via, mais preciso e menos divino do que o sagrado Van Gogh – suas maçãs verdes, seu louco lago azul com acrósticos, sua habilidade para ocultar a perspectiva (uma saliência no lago pode fazer isso, e uma linha de montanha). Gauguin – vendo-o ao lado desses mestres, ele me pareceu ser quase um cartunista talentoso. – Comparado a Renoir também, cuja pintura de uma tarde francesa era estupendamente colorida, como as tardes de domingo de nossos sonhos de infância – rosas, púrpuras, vermelhos, volteios, dançarinos, mesas, bochechas coradas e gargalhadas.

Perto da saída da sala resplandecente, Frans Hals, o mais alegre de todos os pintores que já existiram. E então um último olhar para o anjo de São Mateus de Rembrandt – sua boca vermelha manchada *se moveu* quando olhei.

ABRIL EM PARIS, granizo em Pigalle, e últimos momentos. – No meu hotel barato estava frio e continuava a cair granizo; assim, vesti meu velho *blue* jeans, o velho boné de orelhas, luvas de ferroviário e fechei o zíper da minha jaqueta de chuva, as mesmas roupas que usava como guarda-freios nas montanhas da Califórnia e como guarda florestal no Noroeste, e atravessei o Sena apressadamente em direção a Les Halles para uma última refeição de pão fresco, sopa de cebola e *pâté*. – Agora rumo às delícias, caminhando pela penumbra fria de Paris entre enormes mercados de flores, e então sucumbindo a *frites* fininhas e crocantes com um cachorro-quente de salsicha suculenta em uma barraca de esquina exposta ao vento, depois para um restaurante superlotado cheio de trabalhadores alegres e de burgueses, onde fiquei temporariamente aborrecido porque esqueceram de me servir vinho também, tão alegre e tão vermelho em uma taça limpa. – Depois de comer, perambulando na direção de casa para arrumar as malas para ir para Londres amanhã, decidi então comprar um último doce parisiense, pensando em um mil-folhas, como de costume, mas, como a garota achou que eu tinha dito "milanais", aceitei sua oferta e dei uma mordida no meu milanais enquanto atravessava a ponte e bang!, absolutamente a mais maravilhosa de todas as massas doces do mundo, pela primeira vez na vida me senti subjugado por uma sensação de paladar, um encorpado creme de moca marrom coberto com lascas de amêndoas e só um pouco de bolo, mas tão pungente que invadiu meu nariz e minha goela como bourbon ou rum com café e creme. – Voltei correndo, comprei outro e comi esse segundo com um pequeno *espresso* quente em um café em frente ao teatro Sarah Bernhardt – minha última delícia em Paris, saboreando o gosto e observando os espectadores proustianos saírem do teatro e pegarem táxis.

Pela manhã, às seis, me levantei e me lavei na pia, e a água correndo da torneira falava com uma espécie de sotaque *cockney*. – Saí correndo com a mochila cheia às costas; no parque, um pássaro que eu nunca tinha ouvido, um cantorzinho de Paris junto ao Sena coberto pela névoa matinal.

Tomei o trem para Dieppe e lá fomos nós, através

dos subúrbios enfumaçados, através da Normandia, através de campos sombrios de puro verde, pequenos chalés de pedra, alguns de tijolos vermelhos, uma parte semi-arborizada, algumas pedras, em um chuvisco ao longo do Sena, que parecia um canal, cada vez mais frio, através de Vernon e lugarejos com nomes como Vauvay ou Alguma-Coisa-sur-Cie, para a Rouen soturna, que é um lugar chuvoso, lúgubre e horrível para alguém ser queimado em uma fogueira. – Todo o tempo minha cabeça estava excitada com o pensamento da Inglaterra ao cair da noite, Londres, o nevoeiro da verdadeira e velha Londres. – Como sempre, eu estava de pé no vestíbulo frio, não havia lugar dentro do trem, ocasionalmente sentava na minha mochila cercado por um bando de estudantes galeses barulhentos e seu instrutor silencioso que me emprestou o *Daily Mail* para ler. – Depois de Rouen as ainda mais encobertas campinas e sebes da Normandia, e então Dieppe, com seus telhados vermelhos, o velhos cais e ruas com chão de pedra com ciclistas, chaminés soltando fumaça, chuva soturna, um frio desagradável em abril, e estou farto da França afinal.

O barco do canal completamente apinhado, centenas de estudantes e dezenas de belas garotas inglesas e francesas com rabos-de-cavalo e cabelo curto. – Deixamos a costa francesa rapidamente e após um monte de água começamos a ver tapetes verdes e campinas que paravam abruptamente como que desenhadas a lápis em despenhadeiros, e era a ilha coroada, Inglaterra, primavera na Inglaterra.

Todos os estudantes cantavam em turminhas alegres e se dirigiram para o seu vagão londrino fretado, mas eu tive que me sentar (eu era um dos que tinha que esperar sentado) porque tinha sido babaca o bastante para admitir que só trazia o equivalente a quinze xelins no bolso. – Sentei ao lado de um negro das Índias Ocidentais que simplesmente nem tinha passaporte e carregava uma pilha de casacos e calças estranhos e velhos – ele respondeu estranhamente às perguntas dos funcionários, parecia extremamente vago e de fato me lembro de ele ter esbarrado distraidamente comigo no barco durante a viagem. – Dois policiais ingleses altos e vestidos de azul estavam observando ele (e a mim) desconfiadamente, com aqueles sorrisos sinistros de Scotland Yard e aquela estranha desatenção mal-humorada e de nariz empinado típica dos velhos filmes de Sherlock Holmes. – O negro olhou para eles aterrorizado. Um de seus casacos caiu no chão, mas ele nem se incomodou em apanhá-lo. – Um brilho insano surgiu nos olhos do funcionário da imigração (um jovem almofadinha intelectual) e depois outro brilho insano nos olhos de um dos detetives, e de repente me dei conta de que o negro e eu estávamos cercados. – Apareceu um cara da alfândega enorme, ruivo e bonachão para nos interrogar.

Contei a minha história para eles – eu estava indo a Londres para pegar um cheque de direitos autorais e dali iria para Nova York no *Île de France*. – Não acreditaram na minha história – eu não estava barbeado, tinha uma mochila nas costas, parecia um vagabundo andarilho.

"O que vocês *pensam* que eu sou?", eu disse, e o cara ruivo respondeu: "Esse é exatamente o ponto: não temos a menor idéia do que você estava fazendo no Marrocos, ou na França, ou ao aparecer na Inglaterra com quinze xelins". Eu disse que telefonassem para meus editores ou meu agente em Londres. Ligaram e não foram atendidos – era sábado. Os policiais estavam olhando para mim, coçando o queixo. – Àquela altura, o negro tinha sido levado para uma sala nos fundos – de repente ouvi um gemido horrível, como o de um psicopata em um hospício, e perguntei: "O que é isso?".

"É o seu amigo negro."

"O que há com ele?"

"Ele não tem passaporte, nem dinheiro e aparentemente escapou de uma instituição para doentes mentais da França. Agora, você teria alguma maneira de verificarmos essa sua história? Caso contrário, teremos que detê-lo."

"Sob custódia?"

"Exatamente. Meu caro amigo, você não pode vir para a Inglaterra com apenas quinze xelins."

"Meu caro amigo, você não pode colocar um cidadão americano na cadeia."

"Oh, sim, podemos, se tivermos motivos para suspeitas."

"Vocês não acreditam que eu seja um escritor?"

"Não temos nenhum modo de comprovar isso."

"Mas vou perder meu trem. Ele está para sair a qualquer momento."

"Meu caro amigo..." Revirei minha mochila e de repente encontrei um artigo em uma revista sobre Henry Miller e eu e o exibi para o cara da alfândega. Ele sorriu:

"Henry Miller? Isso é ainda mais notável. *Ele* foi detido por nós há alguns anos, escreveu um monte de coisas sobre New Haven." (Esse era um New Haven bem mais sinistro do que aquele em Connecticut, com sua fumaça de carvão ao nascer do dia.) Mas o cara da alfândega ficou imensamente satisfeito, checou meu nome mais uma vez, no artigo e nos meus documentos, e disse: "Bem, temo que agora serão apenas sorrisos e apertos de mão. Lamento muito o ocorrido. Acho que podemos deixá-lo passar – com a recomendação de que deixe a Inglaterra dentro de um mês".

"Não se preocupe." Enquanto o negro gritava e se debatia em algum lugar lá dentro e eu me sentia muito triste por ele não ter conseguido chegar à outra margem, corri para o trem e mal deu tempo de chegar. – Os estudantes alegres estavam todos em algum lugar lá na frente, e fiquei com todo um vagão só para mim, e lá fomos nós silenciosa e rapidamente em um trem inglês elegante através dos campos com os velhos cordeiros de Blake. – E eu estava a salvo.

Os campos ingleses – fazendas pacatas, vacas, prados, charcos, estradas estreitas e lavradores de bicicleta esperando nos cruzamentos e, à frente, a noite de sábado em Londres.

Subúrbios da cidade ao fim da tarde como o velho sonho de raios de sol através das árvores vespertinas. – Saltei na Victoria Station, onde alguns dos estudantes eram esperados por limusines. – Mochila às costas, excitado, comecei a caminhar na penumbra enevoada pela Buckingham Palace Road, vendo pela primeira vez as compridas ruas desertas. (Paris é uma mulher, mas Londres é um homem independente fumando seu cachimbo em um *pub*.) – Passei o palácio, desci a Mall através do parque St. James, rumo à Strand, tráfego, fumaça e multidões inglesas malvestidas indo aos cinemas, Trafalgar Square, rumo à Fleet Street, onde havia menos tráfego, *pubs* menos iluminados e becos tranversais tristes, quase até a catedral St. Paul, onde isso se torna muito johnsonianamente triste demais. – Então dei a volta, cansado, e entrei no *pub* King Lud, para uma torrada galesa de seis pennies e uma cerveja preta.

Telefonei para o meu agente em Londres e contei minhas agruras. "Meu caro amigo, foi muitíssimo lamentável eu não estar aqui à tarde. Fomos visitar mamãe em Yorkshire. Será que cinco libras o ajudariam?"

"Sim!" Desse modo, peguei um ônibus para o seu elegante apartamento em Buckingham Gate (tinha passado por ali depois de descer do trem) e subi para conhecer o respeitável casal de velhinhos. – Ele com sua barbicha, lareira e uísque para me oferecer, falando da mãe de 101 anos que estava lendo toda a *História social inglesa* de Trevelyan. – Chapéu, luvas, guarda-chuva, tudo sobre a mesa atestando seu modo de vida, e eu mesmo me sentindo um herói americano de um velho filme. – Bem distante do garotinho que sonhava com a Inglaterra debaixo de uma ponte – Me alimentaram com sanduíches, me deram dinheiro, e então andei por Londres saboreando o nevoeiro em Chelsea, os policiais vagando pela neblina leitosa pensando: "Quem estrangulará o guarda no nevoeiro?". As luzes difusas, o soldado inglês a passear com um braço em volta de sua garota e com a outra mão comendo peixe e batata frita, as buzinas dos táxis e dos ônibus, Piccadilly à meia-noite e um monte de garotos me perguntando se eu conhecia Gerry Mulligan. – Finalmente consegui um quarto de quinze xelins no hotel Mapleton (no sótão) e tive um divino e longo sono com a janela aberta, pela manhã os carrilhões soaram todos juntos às onze, e a camareira trouxe uma bandeja com torradas, manteiga, marmelada, leite quente e um bule de café enquanto eu ficava ali deitado e deslumbrado.

E na tarde da Sexta-Feira Santa uma performance celestial da *Paixão de São Mateus* pelo coro de St. Paul, com orquestra completa e um culto coral especial. Chorei na maior parte do tempo e tive uma visão de um anjo na cozinha de minha mãe e desejei voltar para meu lar na doce América outra vez. – E percebi que não importava que pecássemos, que meu pai tivesse morrido apenas de impaciência, que todas as minhas mesquinhas necessidades também não importavam – o Sagrado Bach falou comigo e diante de mim estava um magnífico baixo-relevo em mármore mostrando Cristo e os três soldados romanos escutando: "E Ele lhes disse: não praticais violência contra homem nenhum, nem acusais nenhum falsamente, e contentai-vos com o vosso soldo". Lá fora, enquanto caminhava na penumbra ao redor da grande obra-prima de Christopher Wren e vi as sinistras ruínas cheias de mato da blitz de Hitler em volta da catedral, vi a minha própria missão.

No Museu Britânico, procurei a minha família na *Rivista Araldica,* IV, página 240: "Lebris de Keroack. Canadá, originalmente da Bretanha. Azul em uma faixa dourada com três pregos de prata. Lema: ama, trabalha e sofre".

Eu já deveria saber.

No último momento descobri o Old Vic enquanto esperava pelo meu trem-barco para Southampton. – A peça era *Antônio e Cleópatra.* – Era um espetáculo maravilhosamente belo e suave, as palavras e os soluços de Cleópatra mais belos do que música, Enobarbo belo e forte, Lépido esquisito e cômico na gentalha bêbada no barco de Pompeu, Pompeu marcial e ríspido, Antônio viril, César sinistro, e, embora as vozes cultas criticassem Cleópatra no saguão durante o intervalo, eu sabia que tinha visto Shakespeare como ele deve ser representado.

No trem, a caminho de Southampton, árvores cerebrais irrompendo nos campos de Shakespeare, e as campinas de sonho pontilhadas de carneiros.

8. O vagabundo americano em extinção

O VAGABUNDO AMERICANO TEM ENFRENTADO UMA BARRA PESADA para vagabundear atualmente devido ao aumento da vigilância policial nas auto-estradas, entroncamentos ferroviários, praias, margens de rios, aterros e os mil-e-um esconderijos escusos da noite industrial. – Na Califórnia, o rato de mochila, o tipo original de antigamente, que segue perambulando de cidade em cidade com as provisões e a cama às costas, o "Irmão sem Lar", praticamente desapareceu, junto com o antigo rato garimpeiro do deserto, que costumava cruzar com o coração esperançoso laboriosas cidades do Oeste, que agora são tão prósperas que já não desejam velhos vagabundos. – "Os homens não querem saber de ratos mochileiros por aqui, mesmo que eles tenham fundado a Califórnia", disse um velho com sua lata de feijões escondido ao pé de uma fogueira indígena na margem de um rio nas imediações de Riverside, Califórnia, em 1955. – Imensos, sinistros camburões policiais pagos pelos contribuintes (modelo 1960, com holofotes antipáticos) estão a postos para se lançar a qualquer instante sobre o vagabundo no seu trote idealista rumo à liberdade e às colinas do silêncio sagrado e da santa privacidade. – Não há nada mais nobre do que aturar algumas inconveniências como cobras e poeira por amor à liberdade absoluta.

Eu próprio fui um vagabundo, mas só até certo ponto, como se vê, porque sabia que algum dia meus esforços literários seriam recompensados com a proteção social – não fui um vagabundo autêntico, sem esperanças, exceto aquela eterna esperança secreta que se adquire dormindo em vagões vazios que atravessam o vale de Salinas sob o sol quente de janeiro cheio de Dourada Eternidade em direção a San Jose, onde velhos rapazes de aspecto maldoso olham para você com lábios franzidos e oferecem algo para comer ou beber – lá na beira dos trilhos ou nas margens do riacho de Guadalupe.

O sonho original do vagabundo nunca foi definido melhor do que nesse adorável poeminha citado por Dwight Goddard em sua *Bíblia budista:*

Oh, por esse raro acontecimento
Eu alegremente daria dez mil peças de ouro!
Um chapéu na cabeça, uma trouxa às costas,
E minha companhia, a brisa refrescante e a lua cheia.

Na América houve sempre (você há de notar o peculiar tom whitmanesco desse poema, provavelmente escrito pelo velho Goddard) uma idéia especial e definida da liberdade que significa andar a pé e que remonta aos tempos de Jim Bridger e Johnny Appleseed e ainda hoje é mantida por um grupo em extinção de veteranos rijos que às vezes ainda podem ser vistos em alguma autoestrada deserta à espera de uma breve jornada de ônibus até a cidade para esmolar (ou trabalhar) e forrar a barriga, ou perambulando pelo Leste do país, abordando o Exército da Salvação e se deslocando de cidade em cidade, de estado em estado, em direção à eventual sina dos becos periféricos das grandes cidades quando seus pés entregam os pontos. – No entanto, não faz muito tempo que vi na Califórnia (profundamente encravado no desfiladeiro, ao lado dos trilhos de trem na periferia de San Jose, soterrado em folhas de eucalipto e no abençoado esquecimento das trepadeiras) um grupo de casebres de papelão e material barato ao entardecer, e diante de cada um estava sentado um velho fumando seu tabaco Granger de quinze centavos em seu cachimbo de sabugo de milho (as montanhas do Japão estão repletas de abrigos gratuitos e velhos tagarelando entre copos de bebidas feitas de raízes à espera da Iluminação Suprema, que só pode ser obtida através da completa solidão ocasional).

Na América, acampar é considerado um esporte saudável para escoteiros, mas é crime para homens maduros que fizeram disso sua vocação. – A pobreza é tida como virtude entre os monges das nações civilizadas – na América você passa a noite no xadrez se for pego desprevenido, sem seus trocados para vagabundear (da última vez que ouvi falar nisso eram quinze centavos, parceiro – quanto é agora?).

No tempo de Brueghel, as crianças dançavam ao redor do vagabundo, ele vestia roupas imensas e rotas e olhava sempre em frente, indiferente às crianças, e as famílias não se importavam que as crianças brincassem com o vagabundo, era algo normal. – Mas hoje as mães abraçam os filhos com força quando um vagabundo cruza a cidade por causa daquilo em que os jornais o transformaram – o estuprador, o estrangulador, o comedor de criancinhas. – Fique longe de desconhecidos, eles lhe darão doces envenenados. Embora o vagabundo de Brueghel e o vagabundo de hoje sejam o mesmo, as crianças são diferentes. – Onde se meteu o vagabundo chaplinesco? O antigo vagabundo da *Divina comédia?* O vagabundo é Virgílio, ele foi o precursor. – O vagabundo penetra no mundo infantil (como no famoso quadro de Brueghel onde um enorme vagabundo cruza solenemente pela vila de tina de lavar roupa e os cães latem e as crianças riem, St. Pied Piper), mas o mundo hoje é adulto, não é mais um mundo infantil. – O vagabundo hoje é forçado a agir furtivamente – todos ficam assistindo aos heróis policiais na TV.

Benjamin Franklin era uma espécie de vagabundo na Pensilvânia; cruzou a Filadélfia com três pãezinhos debaixo do braço e meio penny no chapéu. – John Muir era um vagabundo que partia em direção às montanhas com o bolso cheio de pedaços de pão seco, que molhava nos regatos.

Será que Whitman aterrorizava as crianças da Louisiana quando percorria a estrada aberta?

E o Vagabundo Negro? Contrabandista de bebidas? Ladrão de galinhas? Remus? O vagabundo negro do Sul é o último dos vagabundos de Brueghel, as crianças lhe rendem homenagem e o encaram cheias de admiração, e permanecem caladas. É possível vê-lo surgir de entre os pinheiros com seu velho saco indescritível. Será que carrega guaxinins? Carrega Br'er Rabbit*? Ninguém sabe o que ele carrega.

Forty Niner, o fantasma das planícies, o velho Zacatecan Jack, o Santo Caminhante, o explorador, os espíritos e fantasmas da vagabundagem desapareceram – mas eles (os exploradores) queriam encher de ouro seus sacos indescritíveis. – Teddy Roosevelt, vagabundo político – Vachel Lindsay, vagabundo menestrel, vagabundo maltrapilho – quantas tortas por um dos poemas *dele?* O vagabundo vive em uma Disneylândia, na terra de Pete-o-Vagabundo, onde tudo são leões humanos, homens de lata, cães lunares com dentes de borracha, trilhas cor de laranja e púrpura, castelos de esmeralda se erguendo ao

* Herói das histórias do Uncle Remus, narrador fictício criado pelo escritor americano Joel Chandler Harris (1848-1908). (N. do E.)

longe sob a bruma, gentis filósofos de bruxas. – Nenhuma bruxa jamais cozinhou um vagabundo. – O vagabundo possui dois relógios que não se podem comprar na Tiffany's, em um pulso o sol, no outro a lua, as mãos são feitas de céu.

Escuta! Escuta! Os cães ladram
Os mendigos estão chegando na cidade;
Uns esfarrapados, outros em trapos
E alguns em becas de veludo.

A Era do Jato crucifica o vagabundo, como pode ele saltar em um cargueiro a jato? Será que Louella Parsons é simpática para com os vagabundos? Henry Miller permitiria que os vagabundos nadassem em sua piscina. – E Shirley Temple, para quem o vagabundo deu o Pássaro Azul? Será que as jovens Temples não possuem mais pássaros azuis?

Hoje em dia o vagabundo precisa se esconder, e há cada vez menos lugares para isso, os tiras estão à sua procura, *chamando todos os carros, chamando todos os carros, vagabundos avistados nas imediações de Bird-in-Hand* – Jean Valjean curvado sob o peso do saco de candelabros, gritando para a rapaziada, "Está aqui a *alma* de vocês, a *alma* de vocês!". Beethoven era um vagabundo que se ajoelhava e escutava a luz, um vagabundo surdo que não podia ouvir as lamúrias dos outros vagabundos. – Einstein, o vagabundo com o suéter roto de gola alta de lã de ovelha; Bernard Baruch, o vagabundo desiludido sentado em um banco de parque esperando John Henry, esperando alguém muito louco, esperando o épico persa.

Sergei Esenin foi um grande vagabundo que se aproveitou da revolução russa para cair fora e beber "suco de batata" pelas aldeias atrasadas da Rússia (seu poema mais famoso se chama *Confissões de um vadio),* no momento em que estavam derrubando o czar, ele declarou: "Neste exato momento estou com vontade de mijar ao luar pela janela". É o vagabundo sem ego que algum dia dará à luz uma criança. – Li Po foi um vagabundo poderoso. – O ego é o maior dos vagabundos – viva o ego vagabundo! Cujo monumento algum dia será uma caneca de café de folha-de-flandres dourada.

Jesus era um estranho vagabundo que caminhava sobre a água.

Buda também foi um vagabundo que não prestava atenção nos outros vagabundos.

O chefe Rain-In-The-Face*, mais estranho ainda. – W. C. Fields – seu nariz vermelho explica o significado do mundo triplo, Grande Veículo, Veículo Menor, Veículo de Diamante.

O VAGABUNDO NASCE DO ORGULHO, não tem nada a ver com uma comunidade, mas consigo próprio e com outros vagabundos e talvez com um cão. – Vagabundos pelos aterros da linha férrea à noite fervendo imensas canecas de café. – Altiva era a maneira como o vagabundo cruzava por uma cidade, entrando pelas portas dos fundos, onde tortas esfriavam nos parapeitos das janelas, o vagabundo era um leproso mental, não precisava esmolar para comer, donas-de-casa possantes e ossudas do Oeste conheciam sua barba tilintante e sua toga esfarrapada, *venha e pegue!* Mas orgulho é orgulho, ainda assim, às vezes havia algum aborrecimento quando ela anunciava *venha e pegue*, e hordas de vagabundos surgiam, dez ou vinte de uma só vez, e ficava um bocado difícil alimentar todos eles; às vezes os vagabundos não tinham consideração, mas não sempre, só que, quando

* Literalmente, chuva-no-rosto. (N. do T.)

isso acontecia, eles perdiam o orgulho, se tornavam vadios – migravam para a Bowery em Nova York, para a Scollay Square em Boston, para a Pratt Street em Baltimore, para a Madison Street em Chicago, para a 12th Street em Kansas City, para a Larimer Street em Denver, para a South Main Street em Los Angeles, para a Third Street no centro de San Francisco, para a Skid Road em Seattle (todas elas "áreas pestilentas").

A Bowery é o paraíso dos vagabundos que vêm se divertir na cidade grande empurrando seus carrinhos metálicos e recolhendo papelão. – Vários vagabundos da Bowery são escandinavos, muitos deles sangram com facilidade porque bebem demais. – Quando chega o inverno, os vadios tomam uma bebida que chamam de mata-rato, que consiste de álcool metílico, umas gotas de iodo e raspas de limão, tomam de um só gole e blam!, hibernam o inverno inteiro para não apanharem um resfriado, porque não têm um lugar para morar e fica muito frio ao ar livre no inverno da cidade. – Às vezes os vagabundos dormem de braços dados para se manterem aquecidos na calçada mesmo. Os veteranos da Bowery Mission afirmam que os vadios cervejeiros são os mais beligerantes do grupo.

Fred Bunz é o Howard Johnson* dos vagabundos – fica na Bowery, 277, em Nova York. Escrevem o menu na janela com sabão. – Pode-se ver os vagabundos pagando relutantemente quinze centavos por miolos de porco, 25 centavos pelo *goulash*, e se arrastando para as gélidas noites de novembro com camisas de algodão puídas, mergulhando na Bowery lunar ao som de garrafas estilhaçadas no beco onde permanecem encostados na parede como rapazes arruaceiros. – Alguns deles usam chapéus im-

* Cadeia de restaurantes dos Estados Unidos surgida nos anos 20, hoje praticamente extinta. (N. do T.)

permeáveis apanhados ao lado dos trilhos em Hugo, Colorado, ou sapatos furados abandonados por índios nas lixeiras de Juarez, ou casacos do lúgubre salão de focas e peixes. – Hotéis de vagabundos são brancos, azulejados e parecem mictórios. – Antigamente os vagabundos diziam para os turistas que tinham sido médicos famosos, agora dizem que eram cicerones na África para estrelas ou diretores de cinema e que quando a TV surgiu eles perderam seus direitos de safári.

Na Holanda não se admitem vagabundos, talvez aconteça o mesmo em Copenhague. Mas em Paris se pode ser um vagabundo – em Paris os vagabundos são tratados com o maior respeito e raramente lhes recusam alguns francos. – Há várias classes de vagabundos em Paris, o vagabundo classe alta possui um cão e um carrinho de bebê no qual carrega todos seus pertences, que normalmente consistem de velhos *France Soirs*, trapos, latas, garrafas vazias, bonecas quebradas. – Esse vagabundo às vezes tem uma amante que o segue junto com o cão e o carrinho. – Os vagabundos de classe baixa nada têm, apenas se sentam às margens do Sena escarafunchando o nariz e olhando a torre Eiffel.

Na Inglaterra os vagabundos falam com sotaque inglês, o que faz com que pareçam estranhos – os vagabundos não são compreendidos na Alemanha. – A América é a pátria da vagabundagem.

O vagabundo americano Lou Jenkins, de Allentown, Pensilvânia, foi entrevistado no Fred Bunz's, na Bowery. – "Para que vocês querem saber tudo isso, o que vocês querem?"

"Me parece que você foi um vagabundo que percorreu o país inteiro."

"E que tal dar um vinhozinho pro camarada aqui antes de conversarmos?"

"Al, vai buscar o vinho."

"Onde é que isso vai sair, no *Daily News?*"

"Não, em um livro."

"O que vocês moleques estão fazendo aqui, quer dizer, cadê a bedida?"

"Al foi na loja de bebidas – você queria um Thunderbird, não é?"

"Pode crer!"

Lou Jenkins então resolveu abusar – "Que tal uns trocados para um quarto essa noite?"

"Ok, nós só queremos lhe fazer umas perguntas, do tipo: por que você foi embora de Allentown?"

"Minha mulher. – Minha mulher – nunca se case. Não dá para segurar a barra. Você quis dizer que isso vai sair em um livro, ei, o que estou dizendo?"

"Vamos lá, conte algo sobre os vagabundos ou coisa parecida. –"

"Bem, o que você quer saber sobre os vagabundos? Tem um monte por aqui, a barra anda pesada hoje em dia, nada de grana – escuta, que tal uma boa refeição?"

"Nos encontramos no Sagamore." (Respeitável lanchonete dos vagabundos na esquina da Third com a Cooper Union.)

"Legal, garoto, obrigado." – Ele abriu a garrafa de Thunderbird com um cutucão experiente no selo plástico. – Glub, enquanto a lua nasce resplandecente como uma rosa, ele emborca tudo com lábios grandes e feios, ávido para mandar goela abaixo, sclup! e lá se vai a bebida, e os olhos saltam, ele passa a língua pelo lábio superior e diz: "A-a-h!" – E grita: "Não esquece que meu nome se escreve Jenkins, J-e-n-k-y-n-s. –"

Outro personagem – "Você diz que se chama Ephram Freece, de Pawling, Nova York?"

"Bem, não, meu nome é James Russel Hubbard."

"Você parece muito respeitável para um vagabundo."

"Meu avô era coronel em Kentucky."

"Mesmo?"

"Sim."

"O que o fez vir parar aqui na Third Avenue?"

"Olha, realmente não posso saber, não me importa, não me chateio, não sinto nada. Desculpe, mas – alguém roubou minha navalha de barbear na noite passada, se você me der um dinheiro vou comprar um barbeador."

"E onde vai encontrar uma tomada? Você tem essas comodidades?"

"Um barbeador manual."

"Oh."

"E sempre trago esse livro comigo – *As Regras de São Bento.* Um livro chato, mas tenho um outro na mochila. Acho que é chato também."

"Então por que você os lê?"

"Porque achei. – Encontrei lá em Bristol no ano passado."

"Pelo que você se interessa? Você se interessa por alguma coisa?"

"Bem, esse outro livro que tenho é, er, sim, er, é um livrão estranho – você não devia ficar me entrevistando. Fala com aquele sujeito negro e velho ali, tocando harmônica – eu não presto para nada, tudo o que quero é ser deixado em paz. –"

"Vi você fumar cachimbo."

"É – tabaco Granger. Quer um pouco?"

"Pode me mostrar o livro?"

"Não, ele não está aqui comigo, só tenho isso comigo." – Aponta para o cachimbo e o fumo.

"Pode dizer alguma coisa?"

"Relâmpago."

O Vagabundo Americano está em vias de extinção

enquanto os xerifes agem, como disse Louis Ferdinand Céline, com "uma linha de crime e nove de tédio", pois, já que não têm nada para fazer no meio da noite, quando todo mundo está dormindo, pegam no pé do primeiro ser humano que vêem caminhando. – Implicam até com amantes na praia. Simplesmente não sabem o que fazer consigo mesmos naquelas viaturas policiais de cinco mil dólares com rádios estilo Dick Tracy, a não ser pegar no pé de tudo que se mova de noite e de dia e que pareça estar se movendo independentemente de gasolina, eletricidade, exército ou polícia. – Eu mesmo fui um vagabundo, mas me vi forçado a desistir por volta de 1956, por causa de um número cada vez maior de reportagens de televisão sobre os abomináveis mochileiros desconhecidos trilhando seu caminho independentemente – fui cercado por três rádio-patrulhas em Tucson, Arizona, às duas da manhã, enquanto caminhava com a mochila às costas rumo a uma doce noite de sono sob a lua rubra no deserto:

"Aonde você está indo?"

"Dormir."

"Dormir onde?"

"Na areia."

"Por quê?"

"Tenho meu saco de dormir."

"Por quê?"

"Para estudar a vida ao ar livre."

"Quem é você? Deixe-me ver a sua identidade."

"Acabei de passar o verão trabalhando no Serviço Florestal."

"Você foi pago?"

"Claro."

"Então por que não vai para um hotel?"

"Prefiro o ar livre, e é grátis."

"Por quê?"

"Porque estou estudando a vagabundagem."

"O que há de tão bom nisso?"

Queriam uma *explicação* para a minha vagabundagem e chegaram perto de me recolher, mas fui sincero com eles, e terminaram coçando a cabeça e dizendo: "Vai em frente se é isso que você quer". – Não me ofereceram uma carona de seis quilômetros até o deserto.

E o xerife de Cochise permitiu que eu dormisse na lama fria dos arredores de Bowie, Arizona, apenas porque não sabia disso.

Está acontecendo algo estranho, já não se pode ficar sozinho nem mesmo na vastidão primitiva (as chamadas "áreas primitivas"), há sempre um helicóptero bisbilhotando, é preciso se camuflar. – Então começam a exigir que observemos aeronaves estranhas para avisar a Defesa Civil, como se soubéssemos a diferença entre aeronaves estranhas comuns e outro tipo qualquer de aeronave estranha. – Pela parte que me toca, a única coisa a fazer é sentar em um quarto e se embebedar e deixar de lado a vagabundagem e as ambições campistas porque já não existe um só xerife ou vigia florestal em nem um dos cinqüenta novos estados que lhe permita cozinhar uma comidinha sobre uma fogueira de gravetos em meio à mata espessa ou em um vale escondido ou em qualquer outro lugar porque eles não têm nada a fazer senão implicar com o que quer que avistem se movimentando na paisagem independentemente de gasolina, eletricidade, guarnições policiais militares. – Não tenho nenhum interesse a defender: simplesmente vou para outro mundo.

Ray Rademacher, um camarada que estava no albergue da Bowery, disse um dia desses: "Gostaria que as coisas fossem como eram no tempo em que meu pai era conhecido como Johnny, o Caminhante das White Mountains. – Certa vez ele endireitou os ossos de um garoto que havia se acidentado em troca de uma refeição e se mandou. Os franceses que moravam na vizinhança o chamavam de '*Le Passanta*'" (Aquele que passa).

Os vagabundos da América que ainda conseguem viajar de maneira saudável se mantêm em boa forma, podem se esconder em cemitérios e beber vinho em bosques de árvores fúnebres e mijar e dormir em cima de pedaços de papelão e quebrar garrafas nas tumbas e não dar a menor bola nem se aterrorizar com os mortos, conseguem se manter sérios e bem-humorados na noite vasculhada por policiais e até se divertir deixando restos de seu piquenique entre as lajes cinzentas da Morte Imaginada, amaldiçoando o que julgam ser dias duros, mas Oh, o pobre vagabundo dos bairros sórdidos! Lá está ele dormindo em uma soleira, com as costas contra a parede, a cabeça caída, com a palma da mão direita para cima, como se esperando receber algo da noite, e a outra mão pendente, forte, firme, como as mãos de Joe Louis, patético, tornado trágico por circunstâncias inevitáveis – a mão como a de um mendigo, suspensa no ar com os dedos formando uma sugestão que revela o que ele deseja e merece receber, moldando o gesto da esmola, o polegar quase tocando na ponta dos dedos, como se na ponta da língua ele estivesse prestes a dizer dormindo e com esse gesto o que não pode dizer acordado: "Por que me tiraram isso, por que não posso respirar na paz e na suavidade da minha própria cama e sou obrigado a esperar aqui, nesses trapos anônimos e repugnantes, nesse portal humilhante, sentado à espera de que as rodas da cidade se movimentem?", e mais: "Não quero estender minha mão, mas durante o sono estou desamparado, não posso endireitá-la, aproveitem a oportunidade para ver minha súplica, estou sozinho, estou doente, estou morrendo – vejam minha mão virada, desvendem o segredo de meu coração humano, me dêem o que preciso, me dêem a mão, me levem para as montanhas de esmeralda além da cidade, me conduzam a um lugar seguro, sejam bondosos, bacanas, sorriam – estou cansado demais de todo o resto, estou farto, desisto, entrego os pontos, quero ir para casa, me leve para casa, Oh irmão na noite – me leve para casa, me tranque em segurança, me leve para onde tudo seja paz e amizade, para a vida familiar, minha mãe, meu pai, minha irmã, minha mulher e você meu irmão, você meu amigo – mas não há nenhuma esperança, nenhuma esperança, nenhuma esperança, eu acordo e seria capaz de dar um milhão de dólares para estar na minha própria cama – Oh Senhor, salve-me!". Em estradas perversas, atrás de tanques de gasolina onde cães assassinos rosnam por trás de cercas de arame farpado, viaturas policiais surgem subitamente como carros em fuga de um crime mais secreto, mais nocivo do que as palavras possam exprimir.

As florestas estão cheias de guardas.

Leia também:

Os vagabundos iluminados

de Jack Kerouac

Volume 372 da Coleção **L&PM** POCKET – 256 p.

Considerado por muitos especialistas e fãs da literatura *beat* como o melhor romance de Jack "On the road" Kerouac, *Os vagabundos iluminados* (*The dharma bums*) conta a história de uma busca pela verdade e pela iluminação. O protagonista, Ray Smith, é um aspirante a escritor de San Francisco que anseia por algo mais na vida. Esse algo mais será apresentado a ele por Japhy Rider – um jovem zen-budista adepto do montanhismo que vive com um mínimo de dinheiro, alheio à sociedade de consumo norte-americana.

Em meio a festas, bebedeiras, garotas, *jam sessions*, saraus poéticos, orgias zen-budistas e viagens, *Os vagabundos iluminados* – lançado nos Estados Unidos em 1958, apenas um ano após o estouro de *On the road*, e somente agora publicado no Brasil – é, sem dúvida alguma, uma obra à altura da sua irmã mais famosa. O estilo turbinado, superadjetivado e livre de Kerouac exala doses nunca vistas de humor, sabedoria e contagiante gosto pela vida. Temos aqui uma geração *beat* mais beatífica, mais otimista e mais tranqüila. Em suma: mais iluminada.

Coleção **L&PM** POCKET

287.**O último adeus de Sherlock Holmes** – A. Conan Doyle
288.**A. Gourmet *em* Histórias de cama & mesa** – J. A. Pinheiro Machado
289.**Topless** – Martha Medeiros
290.**Mais receitas do Anonymus Gourmet** – J. A. Pinheiro Machado
291.**Origens do discurso democrático** – D. Schüler
292.**Humor politicamente incorreto** – Nani
293.**O teatro do bem e do mal** – E. Galeano
294.**Garibaldi & Manoela** – J. Guimarães
295.**10 dias que abalaram o mundo** – John Reed
296.**Numa fria** – Charles Bukowski
297.**Poesia de Florbela Espanca** vol. 1
298.**Poesia de Florbela Espanca** vol. 2
299.**Escreva certo** – É. Oliveira e M. E. Bernd
300.**O vermelho e o negro** – Stendhal
301.**Ecce homo** – Friedrich Nietzsche
302.**Comer bem, sem culpa** – Dr. Fernando Lucchese, A. Gourmet e Iotti
303.**O livro de Cesário Verde** – Cesário Verde
304.**O reino das cebolas** – C. Moscovich
305.**100 receitas de macarrão** – S. Lancellotti
306.**160 receitas de molhos** – S. Lancellotti
307.**100 receitas light** – H. e Â. Tonetto
308.**100 receitas de sobremesas** – Celia Ribeiro
309.**Mais de 100 dicas de churrasco** – Leon Diziekaniak
310.**100 receitas de acompanhamentos** – C. Cabeda
311.**Honra ou vendetta** – S. Lancellotti
312.**A alma do homem sob o socialismo** – Oscar Wilde
313.**Tudo sobre Yôga** – Mestre De Rose
314.**Os varões assinalados** – Tabajara Ruas
315.**Édipo em Colono** – Sófocles
316.**Lisístrata** – Aristófanes/ trad. Millôr
317.**Sonhos de Bunker Hill** – John Fante
318.**Os deuses de Raquel** – Moacyr Scliar
319.**O colosso de Marússia** – Henry Miller
320.**As eruditas** – Molière/ trad. Millôr
321.**Radicci 1** – Iotti
322.**Os Sete contra Tebas** – Ésquilo
323.**Brasil Terra à Vista** – Eduardo Bueno
324.**Radicci 2** – Iotti
325.**Júlio César** – William Shakespeare
326.**A carta de Pero Vaz de Caminha**
327.**Cozinha Clássica** – Sílvio Lancellotti
328.**Madame Bovary** – Gustave Flaubert
329.**Dicionário do viajante insólito** – M. Scliar
330.**O capitão saiu para o almoço...** – Bukowski
331.**A carta roubada** – Edgar Allan Poe
332.**É tarde para saber** – Josué Guimarães
333.**O livro de bolso da Astrologia** – Maggy Harrissonx e Mellina Li
334.**1933 foi um ano ruim** – John Fante
335.**100 receitas de arroz** – Aninha Comas
336.**Guia prático do Português correto – vol. 1** – Cláudio Moreno
337.**Bartleby, o escriturário** – H. Melville
338.**Enterrem meu coração na curva do rio** – Dee Brown
339.**Um conto de Natal** – Charles Dickens
340.**Cozinha sem segredos** – J. A. P. Machado
341.**A dama das Camélias** – A. Dumas Filho
342.**Alimentação saudável** – H. e Â. Tonetto
343.**Continhos galantes** – Dalton Trevisan
344.**A Divina Comédia** – Dante Alighieri
345.**A Dupla Sertanojo** – Santiago
346.**Cavalos do amanhecer** – Mario Arregui
347.**Biografia de Vincent van Gogh por sua cunhada** – Jo van Gogh-Bonger
348.**Radicci 3** – Iotti
349.**Nada de novo no front** – E. M. Remarque
350.**A hora dos assassinos** – Henry Miller
351.**Flush - Memórias de um cão** – Virginia Woolf
352.**A guerra no Bom Fim** – M. Scliar
353(1).**O caso Saint-Fiacre** – Simenon
354(2).**Morte na alta sociedade** – Simenon
355(3).**O cão amarelo** – Simenon
356(4).**Maigret e o homem do banco** – Simenon
357.**As uvas e o vento** – Pablo Neruda
358.**On the road** – Jack Kerouac
359.**O coração amarelo** – Pablo Neruda
360.**Livro das perguntas** – Pablo Neruda
361.**Noite de Reis** – William Shakespeare
362.**Manual de Ecologia** – vol.1 – J. Lutzenberger
363.**O mais longo dos dias** – Cornelius Ryan
364.**Foi bom prá você?** – Nani
365.**Crepusculário** – Pablo Neruda
366.**A comédia dos erros** – Shakespeare
367(5).**A primeira investigação de Maigret** – Simenon
368(6).**As férias de Maigret** – Simenon
369.**Mate-me por favor (vol.1)** – L. McNeil
370.**Mate-me por favor (vol.2)** – L. McNeil
371.**Carta ao pai** – Kafka
372.**Os Vagabundos iluminados** – J. Kerouac
373(7).**O enforcado** – Simenon
374(8).**A fúria de Maigret** – Simenon
375.**Vargas, uma biografia política** – H. Silva
376.**Poesia reunida (vol.1)** – A. R. de Sant'Anna
377.**Poesia reunida (vol.2)** – A. R. de Sant'Anna
378.**Alice no país do espelho** – Lewis Carroll
379.**Residência na Terra 1** – Pablo Neruda
380.**Residência na Terra 2** – Pablo Neruda
381.**Terceira Residência** – Pablo Neruda
382.**O delírio amoroso** – Bocage
383.**Futebol ao sol e à sombra** – E. Galeano
384(9).**O porto das brumas** – Simenon
385(10).**Maigret e seu morto** – Simenon
386.**Radicci 4** – Iotti

387.**Boas maneiras & sucesso nos negócios** – Celia Ribeiro
388.**Uma história Farroupilha** – M. Scliar
389.**Na mesa ninguém envelhece** – J. A. P. Machado
390.**200 receitas inéditas do Anonymus Gourmet** – J. A. Pinheiro Machado
391.**Guia prático do Portugês correto – vol.2** – Cláudio Moreno
392.**Breviário das terras do Brasil** – Luis A.de Assis Brasil
393.**Cantos Cerimoniais** – Pablo Neruda
394.**Jardim de Inverno** – Pablo Neruda
395.**Antonio e Cleópatra** – William Shakespeare
396.**Tróia** – Cláudio Moreno
397.**Meu tio matou um cara** – Jorge Furtado
398.**O anatomista** – Federico Andahazi
399.**As viagens de Gulliver** – Jonathan Swift
400.**Dom Quixote – v.1** – Miguel de Cervantes
401.**Dom Quixote – v.2** – Miguel de Cervantes
402.**Sozinho no Pólo Norte** – Thomas Brandolin
403.**Matadouro Cinco** – Kurt Vonnegut
404.**Delta de Vênus** – Anaïs Nin
405.**Hagar 2** – Dick Browne
406.**É grave Doutor?** – Nani
407.**Orai pornô** – Nani
408(11).**Maigret em Nova York** – Simenon
409(12).**O assassino sem rosto** – Simenon
410(13).**O mistério das jóias roubadas** – Simenon
411.**A irmãzinha** – Raymond Chandler
412.**Três contos** – Gustave Flaubert
413.**De ratos e homens** – John Steinbeck
414.**Lazarilho de Tormes**
415.**Triângulo das águas** – Caio Fernando Abreu
416.**100 receitas de carnes** – Sílvio Lancellotti
417.**Histórias de robôs: volume 1** – Isaac Asimov
418.**Histórias de robôs: volume 2** – Isaac Asimov
419.**Histórias de robôs: volume 3** – Isaac Asimov
420.**O país dos centauros** – Tabajara Ruas
421.**A república de Anita** – Tabajara Ruas
422.**A carga dos lanceiros** – Tabajara Ruas
423.**Um amigo de Kafka** – Isaac Singer
424.**As alegres matronas de Windsor** – Shakespeare
425.**Amor e exílio** – Isaac Bashevis Singer
426.**Use & abuse do seu signo** – Marília Fiorillo e Marylou Simonsen
427.**Pigmaleão** – Bernard Shaw
428.**As fenícias** – Eurípides
429.**Everest** – Thomaz Brandolin
430.**A arte de furtar** – Anônimo do séc. XVI
431.**Billy Bud** – Herman Melville
432.**A rosa separada** – Pablo Neruda
433.**Elegia** – Pablo Neruda
434.**A garota de Cassidy** – David Goodis
435.**Como fazer a guerra: máximas de Napoleão**
436.**Poemas de Emily Dickinson**
437.**Gracias por el fuego** – Mario Benedetti
438.**O sofá** – Crébillon Fils
439.**O "Martín Fierro"** – Jorge Luis Borges
440.**Trabalhos de amor perdidos** – W. Shakespeare
441.**O melhor de Hagar 3** – Dik Browne
442.**Os Maias (volume1)** – Eça de Queiroz
443.**Os Maias (volume2)** – Eça de Queiroz
444.**Anti-Justine** – Restif de La Bretonne
445.**Juventude** – Joseph Conrad
446.**Singularidades de uma rapariga loura** – Eça de Queiroz
447.**Janela para a morte** – Raymond Chandler
448.**Um amor de Swann** – Marcel Proust
449.**À paz perpétua** – Immanuel Kant
450.**A conquista do México** – Hernan Cortez
451.**Defeitos escolhidos e 2000** – Pablo Neruda
452.**O casamento do céu e do inferno** – William Blake
453.**A primeira viagem ao redor do mundo** – Antonio Pigafetta
454(14).**Uma sombra na janela** – Simenon
455(15).**A noite da encruzilhada** – Simenon
456(16).**A velha senhora** – Simenon
457.**Sartre** – Annie Cohen-Solal
458.**Discurso do método** – René Descartes
459.**Garfield em grande forma** – Jim Davis
460.**Garfield está de dieta** – Jim Davis
461.**O livro das feras** – Patricia Highsmith
462.**Viajante solitário** – Jack Kerouac
463.**Auto da barca do inferno** – Gil Vicente
464.**O livro vermelho dos pensamentos de Millôr** – Millôr Fernandes
465.**O livro dos abraços** – Eduardo Galeano
466.**Voltaremos!** – José Antonio Pinheiro Machado
467.**Rango** – Edgar Vasques
468.**Dieta Mediterrânea** – Dr. Fernando Lucchese e José Antonio Pinheiro Machado
469.**Radicci 5** – Iotti
470.**Pequenos pássaros** – Anaïs Nin
471.**Guia prático do Português correto – vol.3** – Cláudio Moreno
472.**Atire no Pianista** – David Goodis
473.**Antologia Poética** – Garcia Lorca
474.**Alexandre e César** – Plutarco
475.**Uma espiã na casa do amor** – Anaïs Nin
476.**A gorda do Tiki Bar** – Dalton Trevisan
477.**Garfield um gato de peso** – Jim Davis
478.**Canibais** – David Coimbra
479.**A arte de escrever** – Arthur Schopenhauer
480.**Pinóquio** – Carlo Collodi
481.**Misto-quente** – Charles Bukowski
482.**A lua na sarjeta** – David Goodis
483.**Recruta Zero** – Mort Walker

Coleção **L&PM** POCKET / Saúde

1.**Pílulas para viver melhor** – Dr. Lucchese
2.**Pílulas para prolongar a juventude** – Dr. Lucchese
3.**Desembarcando o Diabetes** – Dr. Lucchese
4.**Desembarcando o Sedentarismo** – Dr. Fernando Lucchese e Cláudio N. Castro
5.**Desembarcando a Hipertensão** – Dr. Lucchese
6.**Desembarcando o Colesterol** – Dr. Fernando Lucchese e Fernanda Lucchese

IMPRESSÃO:

GRÁFICA EDITORA
Pallotti
IMAGEM DE QUALIDADE

Santa Maria - RS - Fone/Fax: (55) 3220.4500
www.pallotti.com.br
com filmes fornecidos